◖ Niv

Odile **Thiévenaz**

Grammaire Progressive du Français

3ᵉ ÉDITION

avec 680 exercices

Corrigés

CLE
INTERNATIONAL
www.cle-inter.com

Édition : Christine Grall
Mise en page : Arts Graphiques Drouais (28100 Dreux)
© CLE International/Sejer – Paris, 2013
ISBN : 978-2-09-038117-7

Sommaire

1. LE VERBE « ÊTRE ». Exercices p. 9.

1 ... êtes ... Je ... suis ... êtes ... Je ... je suis ... êtes ... je suis ... vous êtes ... je suis ...

2 **2.** Je suis de Madrid. (**ou** : Je suis de Barcelone.) **3.** Je suis étudiant. (**ou** : Je suis professeur.) **4.** Je suis marié. (**ou** : Je suis célibataire.) **5.** Je suis fatigué. (**ou** : Je suis en forme.).

3 ... à ... chez ... à ... chez ... chez ... de ... de ... à ... de ... à ...

4 **2.** Je m'appelle Bruno. Je suis italien. Je suis de Florence. Actuellement, je suis chez un ami à Londres. **3.** Je m'appelle Anne. Je suis belge. Je suis de Bruxelles. Actuellement, je suis à l'hôtel Astoria, à New York. **4.** Je m'appelle Clément. Je suis français. Je suis d'Avignon. Actuellement, je suis chez des cousins, à Marseille.

5 **Réponses possibles : 1.** Je suis de Francfort. **2.** Actuellement, je suis à Cologne. **3.** Je suis à l'université.

1. LE VERBE « ÊTRE ». Exercices p. 11.

1 ... es ... suis ... est ... elle est ... êtes ... sommes ... sont ... ils sont ...

2 **1.** Vous êtes ... **2.** Vous êtes ... **3.** Tu es ... **4.** Tu es ... **5.** Vous êtes ... **6.** Vous êtes ...

3 **2.** ... est ... Oui, elle est grande. **3.** ... sont ... Oui, elles sont en bois. **4.** ... est ... Oui, il est bleu. **5.** ... sommes ... Oui, nous sommes mardi. **6.** ... est ... Oui, on est le 4. **7.** ... sont ... Oui, ils sont en forme.

4 ... nous sommes/on est ... nous sommes/on est ... nous sommes/on est ... Nous sommes/ On est ... on est ... on est...

5 **1.** – Non, ils sont à Paris. **2.** – Elle est occupée toute la journée aujourd'hui. **3.** – Non, ils sont à l'hôtel. **4.** – Elles sont en vacances.

2. L'ADJECTIF (1). Exercices p. 13.

1 **1.** ... est allemande. **2.** ... est française. **3.** ... est grande. **4.** ... est blonde. **5.** ... est contente. **6.** ... est élégante. **7.** ... est intelligente. **8.** ... est sympathique.

2 **1.** ... jeune et timide. **2.** ... blond et frisé. **3.** ... grande et bronzée. **4.** ... gentil et compétent. **5.** ... souriante et bavarde. **6.** ... intelligent, créatif, original... **7.** ... mignonne et sympathique. **8.** ... paresseuse et agressive.

3 **2.** ... bleue. **3.** ... ancienne. **4.** ... fraîche. **5.** ... folle. **6.** ... blanche. **7.** ... dangereuse. **8.** ... géniale.

4 **Masculin :** bas – gros – stupide – intéressant – fatigué.
Féminin : gentille – folle – stupide – longue – chaude.

5 ... est canadien. Il est grand, brun et sportif. Il est beau (mais un peu superficiel).

2. L'ADJECTIF (1). Exercices p. 15.

1 **2.** … sont réservés. **3.** … sont petits et minces. **4.** … sont roux. **5.** … sont jaloux.

2 … courts … serrés … classiques … ringards … démodés.

3 **2.** C'est vrai, ils sont beaux tous les deux. **3.** C'est vrai, ils sont enrhumés tous les deux. **4.** C'est vrai, ils sont originaux tous les deux.

4 **2.** Elles sont aussi très salées ! **3.** Elles sont aussi très originales ! **4.** Elles sont très sucrées !

5 **2.** … plats régionaux … régionale … spécialités régionales. **3.** … poissons grillés … grillée … viandes grillées. **4.** … sacs marron … marron … valises marron. **5.** … gants vert foncé … vert foncé … vestes vert foncé.

6 **Réponses possibles :** des manteaux noirs, des chemisiers blancs, des vestes marron clair, des robes rouges et jaunes, des écharpes multicolores.

2. L'ADJECTIF (1). Exercices p. 17.

1 **1.** …e **2.** …es **3.** …s **4.** …es **5.** …s **6.** …e **7.** …s **8.** …es **9.** …es **10.** …ée.

2 **1.** … Je suis … êtes lycéennes … **2.** … Je suis … êtes mariée … **3.** … je suis … êtes réservées … **4.** … je suis … êtes optimiste … **5.** … je suis … êtes nerveux … est calmes.

3 … on est vieux, on est prudent. Quand on est enrhumé, on est fatigué. Quand on est amoureux, on est heureux.

4 …e …s …nes …e …s …s …s …s …s.

3. LA NÉGATION et L'INTERROGATION (1). Exercices p. 19.

1 **2.** … ils ne sont pas ouverts. **3.** … nous ne sommes pas en vacances. **4.** … ils ne sont pas longs.

2 **2.** Êtes-vous pressé(e) ? … et vous, est-ce que vous êtes pressé(e) ? **3.** Êtes-vous triste ? … et vous, est-ce que vous êtes triste ? **4.** Êtes-vous fâché(e) ? … et vous, est-ce que vous êtes fâché(e) ?

3 … Moi aussi. … Moi aussi … Moi aussi … Moi non plus.

4 … Oui. …Oui. … Si. … Oui.

5 **2.** … Pas … **3.** … Pas … **4.** … Pas … **5.** … Non …

6 **2.** – La salle est-elle prête ? – Oui, elle est prête./Non, elle n'est pas prête. **3.** – Les clients sont-ils arrivés ? – Oui, ils sont arrivés./Non, ils ne sont pas arrivés. **4.** – Le chauffage est-il allumé ? – Oui, il est allumé./Non, il n'est pas allumé.

7 **Réponses possibles : 1.** Non, je ne suis pas professeur de français. **2.** Non, nous sommes au printemps. **3.** Non, je ne suis pas à Paris actuellement. **4.** Non, ils ne sont pas difficiles.

3. LA NÉGATION et L'INTERROGATION. Exercices p. 20.

1 **1.** … n'êtes pas… **2.** … n'est pas en laine… **3.** … ne suis pas en colère… **4.** … ne sommes pas en retard…

2 **Questions possibles : 2.** – Françoise n'est pas là ? **3.** – Nous sommes le 24 ? **4.** – La poste est ouverte ? **5.** – L'ascenseur est en panne ? **6.** – Est-ce que vos parents sont à Paris ?

3 **2.** … n'est pas prêt. **3.** … n'est pas chère. **4.** … ne sont pas grands.

4 **2.** … Et vous, vous n'êtes pas déçu(e) ? – Si je suis déçu(e), moi aussi. **3.** … Et vous, vous n'êtes pas agacé(e) ? – Si, je suis agacé(e), moi aussi. **4.** … Et vous, vous n'êtes pas inquiet (**ou** inquiète) ? Si , je suis inquiet (**ou** inquiète), moi aussi

5 **2.** … Mais non, ton nez n'est pas trop long ! **3.** Mais non, tes cheveux ne sont pas horribles ! **4.** Mais non, tu n'es pas trop petite !

3. LA NÉGATION et L'INTERROGATION. Exercices p. 21.

1 … blonde, grande, mince et très mignonne. Elle est musicienne. Elle est à la fois pianiste et violoniste. Elle est tendre, rêveuse, sentimentale et un peu naïve. Elle est belle et gentille, mais elle est étrangère dans la ville et elle est très seule.

… brune et entièrement tatouée. Elle est violente, cruelle et insensible. Elle est ambitieuse et méfiante. Elle n'est pas loyale. Elle est jalouse, brutale, menteuse, manipulatrice, asociale et perturbée. Elle est folle de pouvoir.

2 **Réponses possibles : 1.** … généreuses, mais elles ne sont pas tolérantes. … dynamiques et généreux, mais ils ne sont pas tolérants.
2. Les hommes « Taureau » sont sérieux et persévérants, mais ils sont têtus.
Les femmes « Taureau » sont sérieuses et persévérantes, mais elles sont têtues.
Les hommes et les femmes « Taureau » sont sérieux et persévérants, mais ils sont têtus.
3. Les hommes « Gémeaux » sont enthousiastes et curieux, mais ils sont impatients.
Les femmes « Gémeaux » sont enthousiastes et curieuses, mais elles sont impatientes.
Les hommes et les femmes « Gémeaux » sont enthousiastes et curieux, mais ils sont impatients.
4. Les hommes « Cancer » sont réservés et discrets, mais ils sont passifs.
Les femmes « Cancer » sont réservées et discrètes, mais elles sont passives.
Les hommes et les femmes « Cancer » sont réservés et discrets, mais ils sont passifs.
5. Les hommes « Lion » sont actifs et rationnels, mais ils sont arrogants.
Les femmes « Lion » sont actives et rationnelles, mais elles sont arrogantes.

Les hommes et les femmes « Lion » sont actifs et rationnels, mais ils sont arrogants.

6. Les hommes « Vierge » sont économes et rigoureux, mais ils sont égoïstes.
Les femmes « Vierge » sont économes et rigoureuses, mais elles sont égoïstes.
Les hommes et les femmes « Vierge » sont économes et rigoureux, mais ils sont égoïstes.

7. Les hommes « Balance » sont équilibrés et chaleureux, mais ils sont autoritaires.
Les femmes « Balance » sont équilibrées et chaleureuses, mais elles sont autoritaires.
Les hommes et les femmes « Balance » sont équilibrés et chaleureux, mais ils sont autoritaires.

8. Les hommes « Scorpion » sont passionnés et séducteurs, mais ils sont jaloux.
Les femmes « Scorpion » sont passionnées et séductrices, mais elles sont jalouses.
Les hommes et les femmes « Scorpion » sont passionnés et séducteurs, mais ils sont jaloux.

9. Les hommes « Sagittaire » sont sociables et optimistes, mais ils sont paresseux.
Les femmes « Sagittaire » sont sociables et optimistes, mais elles sont paresseuses.
Les hommes et les femmes « Sagittaire » sont sociables et optimistes, mais ils sont paresseux.

10. Les hommes « Capricorne » sont ambitieux et déterminés, mais ils sont froids.
Les femmes « Capricorne » sont ambitieuses et déterminées, mais elles sont froides.
Les hommes et les femmes « Capricorne » sont ambitieux et déterminés, mais ils sont froids.

11. Les hommes « Verseau » sont doués et indépendants, mais ils sont changeants.
Les femmes « Verseau » sont douées et indépendantes, mais elles sont changeantes.
Les hommes et les femmes « Verseau » sont doués et indépendants, mais ils sont changeants.

12. Les hommes « Poissons » sont timides et romantiques, mais ils sont pessimistes.
Les femmes « Poissons » sont timides et romantiques, mais elles sont pessimistes.
Les hommes et les femmes « Poissons » sont timides et romantiques, mais ils sont pessimistes.

(3) **Exemple :** Je suis anglaise. Je suis mariée. Je suis blonde. Je suis pharmacienne. Je suis très active. Je suis calme et déterminée. Je suis douée pour les langues. Je ne suis pas économe.

(4) **Exemples : 1.** Mon cousin Jean : Il est divorcé. Il est seul. Il est petit et brun. Il est journaliste. Actuellement, il est à Buenos Aires. **2.** Ma grand-mère Adèle : Elle est âgée, mais elle est très active et curieuse de tout. Elle est chaleureuse et très bavarde. Mais elle est un peu sourde.

(5) **Exemples : 1.** L'homme idéal : Il est beau. Il est grand et blond. Il est riche et généreux. Il est sensible et chaleureux. Il est tolérant et fidèle. Il est presque parfait ! **2.** La femme idéale : Elle est élégante et discrète. Elle est gaie et agréable. Elle est créative et sensible. Elle est presque parfaite !

4. LE NOM et L'ARTICLE. Exercices p. 23.

(1) **1.** une femme seule. **2.** une femme élancée. **3.** une chanteuse grecque. **4.** une fille sportive. **5.** une jolie fille. **6.** une chatte rousse. **7.** une femme jalouse. **8.** une serveuse rêveuse.

(2) **1.** … est une cliente importante. **2.** … est une actrice française. **3.** … est une championne de ski italienne. **4.** … est une chanteuse canadienne. **5.** … est une sportive émotive. **6.** … est une électrice conservatrice. **7.** … est une créative imaginative.

(3) … une femme toujours absente, une voisine envahissante, une belle-mère exaspérante, une copine américaine, une chienne végétarienne, une arrière-grand-mère normande et une cousine germaine allemande !

4 Êtes-vous un ⊠

(étudian)t (bavar)d	(consomma)teur (compuls)if	(citoy)en (engag)é
(gran)d (lect)eur	(écologis)te (act)if	(élec)teur (fid)èle
(séduc)teur (discr)et	(amour)eux (jal)oux	(specta)teur (exigean)t
(conduc)teur (agress)if	(utilisat)eur d'Internet	(ment)eur (occasion)nel

Êtes-vous une ⊠

(étudian)te (bavar)de	(consomma)trice (compuls)ive	(citoy)enne (engag)ée
(gran)de (lect)rice	(écologis)te (act)ive	(élec)trice (fid)èle
(séduc)trice (discr)ète	(amour)euse (jal)ouse	(specta)trice (exigean)te
(conduc)trice (agress)ive	(utilisat)rice d'Internet	(ment)euse (occasion)nelle

4. LE NOM et L'ARTICLE. Exercices p. 25.

1 **2.** une … **3.** un … **4.** une … **5.** un … **6.** un … **7.** une … **8.** un … **9.** une … **10.** un … **11.** un … **12.** une … **13.** une … **14.** une … **15.** un …

2 une dame, un garage, une télévision, un ordinateur, une tablette, un bateau, un voyage, une aventure, une voiture, une bicyclette, un virage, une assiette, un couteau, une fourchette, une pharmacienne, un nuage, un télescope, une chienne, une lionne, une cage, une souris, une image, une fleur, une couleur.

3 la solution, la santé, la nature, le modèle, le sondage, la réalité, la publicité, la caution, la confiance, la culture, le système, le programme, le groupe, la différence, le courage, la révolution, le rangement, le jardinage, la sculpture, le côté, le domaine, la peinture, la peur.

4 la (commode), le (chapeau), le (caméscope), la (moquette), la (télévision), la (tablette), la (voiture), la (banquette), la (voiture), le (garage).

5 **1.** … la … la … **2.** Le … la … la … la … **3.** La … la … le … **4.** La … la … **5.** La … la … **6.** La … la …

6 **Exemples** : un portefeuille, une carte de crédit, un téléphone portable, un stylo, un mouchoir, une lettre.

4. LE NOM et L'ARTICLE. Exercices p. 27.

1 **1.** des costumes noirs. **2.** des roses rouges. **3.** des organismes internationaux. **4.** des hommes précis. **5.** des métaux précieux. **6.** des journaux espagnols. **7.** des bas gris. **8.** des comportements anormaux. **9.** des jeux dangereux. **10.** des tableaux originaux.

2 … salades … œufs … jus … gâteaux … …ettes …ers (**s'écrit aussi** …ères) …eaux …

3 **1.** des cheveux blonds. **2.** des cailloux bleus. **3.** des bureaux spacieux. **4.** des couteaux pointus. **5.** des animaux domestiques. **6.** des yeux noirs. **7.** des œufs durs. **8.** des bœufs normands. **9.** des pneus crevés. **10.** des messieurs polis.

4 **1.** Les saphirs sont des bijoux merveilleux. **2.** Les roses sont des fleurs ornementales. **3.** Les chiens sont des animaux amicaux. **4.** Les choux sont des légumes indigestes. **5.** Les zèbres sont des chevaux sauvages.

5 des bottes, des pantalons chauds, un manteau, un imperméable, une écharpe, des lunettes de soleil, des livres, un appareil photo…

4. LE NOM et L'ARTICLE. Exercices p. 29.

1 … une (petite) … une (église) … une (fontaine) … des (arbres) … un … un … le … la … les … l'…

2 **2.** … une … J'ai mis la couverture sur le lit. **3.** … un … J'ai mis le tapis sur le sol. **4.** … des … J'ai mis les plantes vertes sur le balcon. **5.** … des … J'ai mis les livres dans la bibliothèque.

3 **1.** La … une … **2.** … le … le … le … **3.** … le … une … **4.** … le … un … **5.** … les … les … le … le … **6.** … la … la … l' **7.** … une …

4 … la (télévision) … Un (homme) … une (femme) … un (café) … L'(homme) … la (femme) … un (bébé) … une (autre) … un (journal) … la (photo) … le (journal) … l'(homme) … la (femme) … le (bébé) …

Exemple : Je suis très surpris(e), tous les gens autour de moi sont aussi très surpris. En fait, la femme est une actrice de cinéma célèbre et l'homme est son nouveau mari.

5 le soleil – une minute – la tour Eiffel – le métro – une semaine – la lune – un Français – le français.

4. LE NOM et L'ARTICLE. Exercices p. 31.

1 **2.** … le bateau, je vais au port. **3.** … le bus, je vais à la station de bus. **4.** … l'avion, je vais à l'aéroport.

2 **2.** C'est l'heure de la sieste. **3.** C'est l'heure de l'apéritif. **4.** C'est l'heure du dîner.

3 … du (bureau) … au (fromage) … au (chocolat) … de la (quiche) … du (fromage) … au (chocolat) … aux (amandes) … du (chef).

4 … l'(informatique), le (sport), le (cinéma), les (voyages), les (sciences) … à l'(informatique), au (cinéma) … aux (sciences) … de l'(informatique), du (cinéma) … des (sciences) … du (papier).

5 …un (appartement) … l'(éclairage) du (couloir) … Au (milieu) du (salon) … un (petit) … L'(eau) du (lac) … Le (plafond) de la (salle de bains) … les (étoiles) Les (placards) de la (cuisine) … Le (lit) du (fils) … un (hamac) … d'un (arbre) Le (hamac) … l'(arbre) … un (palmier) … la (couleur) de la (moquette).

6 **Réponses possibles :** (une glace) à la vanille – (un sandwich) au jambon – (une tarte) aux fraises – (un gâteau) à la framboise – (des pâtes) au basilic.

5. « C'EST » et « IL EST ». Exercices p. 33.

1 C'est un téléphone ! Ce sont des livres ! Ce sont des gants ! C'est un sac ! C'est une montre ! C'est un parfum ! Ce sont des DVD ! Ce sont des rollers !

2 **2.** – C'est une casquette rouge. Je crois que c'est la casquette rouge du petit garçon. **3.** – Ce sont des rollers. Je crois que ce sont les rollers de l'étudiant. **4.** – Ce sont des jeux vidéo. Je crois que ce sont les jeux vidéo des enfants.

3 Qui est-ce ? – Qui est-ce ? – Qu'est-ce que c'est ? – Qui est-ce ? – Qu'est-ce que c'est ?

4 **Réponses possibles** : **2.** ... c'est reposant. **3.** ... c'est fatigant. **4.** ... c'est difficile. **5.** ... c'est passionnant. **6.** ... c'est nécessaire **7.** ... c'est stressant. **8.** ... c'est ennuyeux !

5 **Réponses possibles : 1.** ... ce n'est pas ... **2.** ... c'est ... **3.** ... c'est ... **4.** ... c'est ...

5. « C'EST » et « IL EST ». Exercices p. 35.

1 **1.** – Il est cuisinier. C'est un cuisinier renommé. **2.** – Elle est styliste. C'est une styliste originale. **3.** – Il est détective. C'est un détective perspicace. **4.** – Il est explorateur. C'est un explorateur imprudent ! **5.** – Ils sont comptables. Ce sont des comptables précis.

2 **2.** ... elle est ... C'est ... **3.** ... c'est ... Elle est ... **4.** ... c'est ... Il est ...

3 ... C'est (un ami) ... Il est (journaliste) ... c'est (un journaliste) ... C'est (la mère) ... Elle est (jeune) ... Elle est (pédiatre) ... elle est (célibataire) ... elle est (professeur) ... elle est (bouddhiste) ... c'est (une végétarienne) ... C'est (ma femme).

4 **Exemples : 1.** – Qui est Aishwarya Rai ? – C'est une femme politique ? – Non, ce n'est pas une femme politique. – C'est une journaliste ? – Non, ce n'est pas une journaliste ? – C'est une chanteuse ? – Non, ce n'est pas une chanteuse. C'est une actrice indienne. **2.** Qui est Joseph O'Connor ? – C'est un acteur de cinéma ? – Non, ce n'est pas un acteur de cinéma. – C'est un sculpteur ? – Non, ce n'est pas un sculpteur ? – C'est un scientifique ? – Non, ce n'est pas un scientifique. C'est un écrivain irlandais.

6. LES POSSESSIFS. Exercices p. 37.

1 ... mon stylo ! Ce sont mes clés ! Ce sont mes lunettes ! C'est mon écharpe !

2 **2.** Mon ... **3.** Ma ... **4.** Mes ... **5.** Mon ... **6.** Mon ... **7.** Mon ...

3 **2.** ... sa beauté **3.** ... son humour **4.** ... sa musique **5.** ... ses romans.

4 **2.** ... vos plantes **3.** ... votre linge ... **4.** votre chien ... **5.** vos papiers.

5 .... leurs (valises) ... Leur (arrivée) ... ses (cheveux) ... son (coiffeur) ... ses (habits) ... son (régime) ... son (amie) ... la (tête) ... l'(estomac) ... son (anxiété) ... la (main) ... son (attitude)

6 **1.** ... ta ... la mienne ... **2.** ... ton ... le mien ... **3.** ... ton ... le mien. **4.** ... ta ... la mienne ... **5.** ... tes ... les miennes. **6. Exemple :** ... ton stylo, j'ai perdu le mien.

7 ... c'est la tienne – c'est le mien – c'est le tien – ce sont les tiennes.

Autres exemples : C'est ma tasse de café ou c'est la tienne ? C'est ma cuillère ou c'est la tienne ? C'est ma serviette ou c'est la tienne ? Ce sont mes mouchoirs ou ce sont les tiens ?

7. LES NOMS de PARENTÉ et de GROUPE. Exercices p. 39.

1 **2.** C'est son père. ... C'est son grand-père. **3.** Ce sont ses enfants. **4.** Ce sont leurs petits-enfants. **5.** C'est sa tante. ... C'est son oncle.

2 **1.** ... parents ... sa ... son ... **2.** ... son ... son oncle. **3.** ... fils ... son ...

3 ... le monde entier ... tout le monde ... personnes ... gens ... personnes ... le monde entier ... tout le monde ...

4 **Exemples :** **1.** C'est Joseph. C'est mon oncle. Il est menuisier. **2.** C'est Judith. C'est ma petite sœur. Elle est à l'école primaire. **3.** Ce sont Michel et Marie-Thérèse. Ce sont mes cousins. Ils sont mariés. Il est garagiste. Elle est infirmière.

8. LES DÉMONSTRATIFS. Exercices p. 41.

1 **1.** Ce ... **2.** Ces ... **3.** Cet ... **4.** Ces ... **5.** Cette ... **6.** Cet ... **7.** Cet ...

2 ... ce (ciel), cette (mer), ces (palmiers), ces (fleurs) ... cet (animal) ... cet (oiseau) ... cette (odeur) ...

3 **1.** ... celle-là/celle-ci ... **2.** ... ce ... celui-là (**ou** celui-ci) ... **3.** ... cette ... celle-là (**ou** celle-ci) ... **4.** ... ces ... celles-là (**ou** celles-ci) ... **5.** ... cette ... celle-là (**ou** celle-ci) ...

4 **2.** – Cette ... – Non, ce n'est pas la mienne. C'est celle de mon ...

3. – Ces ... – Non, ce ne sont pas les miennes. Ce sont celles de mes ...

4. – Cet ... – Non, ce n'est pas le mien. C'est celui de mon ...

5. – Ces ... – Non, ce ne sont pas les miens. Ce sont ceux de mon ...

5 **2.** ... cette année **3.** ... ce mois-ci.

6 ... Celle ... celle ... celui ... ce ... celui ...

7 – Je voudrais cette brioche. – Celle aux pralines ? – Non, pas celle-ci, celle -là. – Je voudrais aussi une baguette pas trop cuite. – Comme celle-ci ? – Non, je voudrais une baguette farinée. – Celle-ci ? – Oui, très bien, merci.

9. « IL Y A » et « C'EST ». Exercices p. 43.

1 1. ... il y a ... ce sont ... 2. ... il y a ... c'est ... 3. ... il y a ... c'est ... 4. ... il y a ... ce sont ...

2 **Réponses possibles : 1.** ... il y a un livre : c'est un livre de grammaire (**ou** ... il y a des livres : ce sont des livres de grammaire). **2.** ... il y a un piano : c'est un piano ancien (**ou** ... il y a des instruments de musique : ce sont des instruments anciens). **3.** ... il y a une brochure : c'est la brochure de mon université. (**ou** ... il y a des brochures ; ce sont des brochures de mon université).

3 1. ... il y a ... c'est ... 2. ... il y a ... ce sont ... 3. ... il y a ... ce sont ... 4. ... il y a ... ce sont ... 5. ... il y a ... c'est ...

4 ... il y a ... C'est ... il est ... il y a ... il y a ... ce sont ... il est ... il y a ... elle est ... elle est ...

5 **Exemples** : À Athènes, il y a une colline célèbre : c'est l'Acropole. Près d'Athènes, il y a une île fantastique : c'est Hydra, une île sans voitures. En Grèce, il y a beaucoup d'îles : ce sont des îles en général petites et très pittoresques.

En Suisse, il y a différents cantons : ce sont des États fédérés de la Confédération helvétique. À Genève, il y a un fameux jet d'eau : c'est un jet d'eau de 140 mètres de hauteur. En Suisse, il y a beaucoup de magasins de montres : ce sont des montres de luxe très originales.

10. LA SITUATION dans L'ESPACE (1). Exercices p. 45.

1 ... le (Japon), la (Chine), la (Russie), la (Finlande), le (Chili), les (États-Unis), le (Canada), le (Mexique) ... ✔ (Cuba).

... au (Japon), en (Chine), en (Russie), en (Finlande), au (Chili), aux (États-Unis), au (Canada), au (Mexique) ... à (Cuba) ...

Exemple : Je suis allé(e) en Inde, au Vietnam, en Thaïlande, en Malaisie.

2 1. À ... en ... en ... 2. En ... aux ... au ... 3. En ... au ... en ... 4. En ... en ... 5. À ... au ... en ... 6. À ... en ... en ...

3 Mon (frère) est au (Caire), en (Égypte). Ma (sœur et moi), (nous) sommes à (Rotterdam), aux (Pays-Bas). Mon (oncle) est à (La Havane), à (Cuba). Ma (cousine Beth) est à (Nicosie), à (Chypre), mes (cousins) sont à (Téhéran) en (Iran et mes parents) à (Madrid) en (Espagne).

4 Au Pérou, il y a un site archéologique très connu : c'est le Machu Picchu. – Au Japon, il y a un grand volcan sacré : c'est le Fuji Yama. – En Écosse, il y a un lac mystérieux : c'est le Loch Ness.

Autres exemples : Au Népal, il y a une grande chaîne de montagnes : c'est l'Himalaya. – À Istanbul il y a un palais somptueux : c'est le palais de Topkapi. – En Italie, il y a le volcan le plus haut d'Europe : c'est l'Etna. – Dans mon pays, il y a de grandes forêts vierges : ce sont les forêts d'Amazonie. Dans ces forêts, il y a des tribus locales : ce sont malheureusement des tribus en voie d'extinction.

10. LA SITUATION dans L'ESPACE (1). Exercices p. 47.

1 … dans (le lave-vaisselle) … sur (la table) … sur (l'étagère) … dans (la cuisine) … sur (la terrasse) … sur (la table) … dans (la poubelle), sous (l'évier).

2 **1.** Sur la bouteille, il y a une étiquette. Dans la bouteille, il y a du cognac. **2.** Sur le lac, il y a des bateaux. Dans le lac, il y a des poissons. **3.** Sous la télévision, il y a une table basse. À la télévision, il y a un reportage. **4.** Dans l'avion, il y a des voyageurs. Sur l'avion, il y a James Bond ! (**ou** Dans l'avion, il y a James Bond). **5.** Sur la radio, il y a un autocollant. À la radio, il y a un concert de jazz.

3 **1.** … sur … **2.** … dans … **3.** … dans … sur … **4.** … à la … **5.** … dans … sur … **6.** … sur (**ou** dans) … sous … **7.** … à la … à la …

4 **1.** … dessous. **2.** … dedans. **3.** … dessus. **4.** … dehors. **5.** … dessous.

5 **Réponses possibles :** … est au-dessus de la table, le tapis est sous la table, le chat est sur le tapis. – La lampe est au-dessus du miroir, le lavabo est au-dessous du miroir, la photo est sur le miroir. – La balle est sous le lit, la couverture est sur le lit, les pantoufles sont à côté du lit/sous le lit.

11. LE VERBE « AVOIR ». Exercices p. 49.

1 **Réponses possibles** : J'ai deux chambres. J'ai des meubles modernes. J'ai un grand salon. J'ai un chauffage à gaz. J'ai des voisins bruyants.

2 **2.** … a une … elle a une … **3.** … ont un … ils ont un … **4.** … vous avez des … nous avons une …

3 **2.** … avons faim. **3.** … a peur … **4.** … a mal …

4 **2.** – Oui, j'ai envie d'une glace ! Pas vous ? **3.** – Oui, j'ai peur des serpents ! Pas vous ?

5 Pour écrire en français, vous avez besoin d'un dictionnaire ? – Pour rester en forme, vous avez besoin de faire du sport ? – Pour travailler en France, vous avez besoin de parler français ?

6 … ont envie d'une glace. – J'ai envie de manger au restaurant. Mon mari a envie de manger chez sa mère. Les enfants ont envie de manger au McDo. – J'ai envie de lire. Mon mari a envie de dormir. Les enfants ont envie de sortir. – J'ai envie d'un chien. Mon mari a envie d'un chat. Les enfants ont envie d'un lapin.

Autre exemple : J'ai envie d'une maison à la campagne. Mon mari a envie d'un appartement au bord de la mer. Les enfants ont envie d'un appartement au centre-ville.

7 **Réponses possibles :** J'ai envie d'une nouvelle voiture et d'un appartement plus grand. – J'ai peur de la solitude. J'ai aussi peur du futur et du chômage.

14

11. LE VERBE « AVOIR ». Exercices p. 51.

1 Il a les yeux bleus. Il a le visage carré. Il a un gros nez, une longue barbe et un grand front.
Exemple : J'ai 22 ans. J'ai les cheveux blonds. J'ai les yeux bleus. J'ai le visage allongé. J'ai un petit grain de beauté sur la joue droite.

2 **2.** … je n'ai pas l'intention de partir en charter. **3.** … j'ai l'habitude de voyager seul. **4.** … je n'ai pas le temps de lire des guides. **5.** … j'ai souvent l'occasion de voyager.

3 **1.** … j'ai un chien. **2.** … je n'ai pas d'enfants. **3.** … je n'ai pas de piscine. **4.** … je n'ai pas de garage. **5.** … j'ai la télé. **6.** … je n'ai pas le satellite.

4 **2.** Vous n'avez pas faim ? **3.** Vous n'avez pas soif ? **4.** Vous n'avez pas sommeil ? **5.** Vous n'avez pas peur ? **6.** Vous n'avez pas chaud ?

5 … il y a des chaises. … il n'y a pas de canapé. … il y a une télévision. … il n'y a pas de miroir. … il y a des placards. … il n'y a pas de plantes vertes. … il y a des posters. … il n'y a pas d'ordinateur. … il n'y a pas de fauteuil.

11. LE VERBE « AVOIR ». Exercices p. 52.

1 … a (huit ans) … a (les yeux) … a (trois ans) … a (aussi) … a (les cheveux) … avons (la même) … a (seulement) … a (beaucoup) … a (cinq) … a (un petit) … ont (un chat) … a (beaucoup) … a (bon) …
1. – Oui, ils ont deux enfants. **2.** – Ils ont huit ans tous les deux. **3.** – Elle a dix-neuf ans. **4.** – Oui, ils ont des animaux domestiques. **5.** – Non, elle a bon caractère.

2 **1.** – Oui, quand j'ai un rendez-vous, je suis à l'heure en général. **2.** – Oui, quand je suis en retard, j'ai toujours une bonne excuse. **3.** – Oui, quand je suis fatigué(e), je suis de mauvaise humeur. **4.** – Oui, quand je suis enrhumé(e), j'ai de la température.

3 **1.** … suis … j'ai … j'ai … **2.** … sont … ils ont … **3.** … est … elle a … **4.** … suis … j'ai … **5.** … est … suis … j'ai …

11. LE VERBE « AVOIR ». Exercices p. 53.

1 Il a une vieille voiture. Il n'a pas de garage.
Il a des jeans. Il n'a pas de costume.
Il a des écharpes. Il n'a pas de cravate.
Il a des meubles en pin. Il n'a pas de meubles en acajou.
Il a le temps de lire. Il n'a pas le temps de répondre à ses mails.
Il a envie de voyager. Il n'a pas envie de travailler dans un bureau.
Il a besoin de faire du sport. Il n'a pas besoin de maigrir.

2 **1.** … avez 30 ans environ. Vous avez 5 ans minimum d'expérience en entreprise. Vous êtes organisée. Vous avez le sens des responsabilités. Vous êtes autonome. Vous êtes disponible.

2. Vous êtes directeur des ventes. Vous avez 40 ans environ. Vous avez une expérience internationale dans le domaine de la vente. Vous êtes dynamique. Vous avez le goût des relations humaines. **3.** Vous êtes comédien. Vous avez 25 ans environ. Vous êtes petit. Vous êtes brun. Vous avez les yeux clairs. Vous avez les cheveux longs. Vous êtes athlétique.

3   **1.** ... J'ai un stylo-bille. **2.** – Qu'est-ce que vous avez comme chien ? ... J'ai un berger allemand. **3.** – Qu'est-ce que vous avez comme ordinateur ? ... J'ai un Mac. **4.** – Qu'est-ce que vous avez comme voiture ? ... J'ai une deux-chevaux grenat.

4   **Exemple :** Directeur/Directrice des Ressources humaines

40 ans environ. Expérience de la gestion des carrières dans un grand groupe. Autonome, rigoureux/se, sens du contact et de l'animation des équipes.

Vous êtes Directeur/Directrice des Ressources humaines. Vous avez 40 ans environ. Vous avez déjà une expérience dans la gestion des carrières dans un grand groupe. Vous êtes autonome, rigoureux/se. Vous avez le sens du contact et de l'animation des équipes.

12. L'ADJECTIF (2). Exercices p. 55.

1   **1.** Un vieux monsieur avec une barbe blanche. **2.** Un homme sportif avec un visage carré. **3.** Une dame brune avec des lunettes noires. **4.** Un gros poisson avec un ventre jaune. **5.** Une belle fille avec de longues jambes. **6.** Une grosse voiture avec un grand coffre. **7.** Un livre précieux avec de belles illustrations. **8.** Un double whisky avec deux glaçons. **9.** Un bel appartement avec une petite terrasse. **10.** Une bonne soirée avec de vieux amis.

2   **2.** – Oui, c'est un bel acteur. **3.** – Oui, c'est un nouvel ordinateur. **4.** – Oui, c'est un vieil avion.

3   **2.** Les dix dernières années. **3.** Les deux prochains cours. **4.** Les trois derniers concurrents.

4   **1.** ... de ... **2.** ... des ... **3.** ... de ... **4.** ... d'... **5.** ... des ...

5   Vous préférez les vieux appartements ou les appartements modernes ? – Vous préférez les plats salés ou les plats sucrés ? – Vous préférez les petites voitures ou les grosses voitures ? – Vous préférez les couleurs claires ou les couleurs sombres ?

Réponses possibles : Je préfère les lunettes invisibles. – Je préfère les appartements anciens. – Je préfère les plats salés. – Je préfère les petites voitures. – Je préfère les couleurs claires.

12. L'ADJECTIF (2). Exercices p. 57.

1   **1.** Dustin Hoffman est un petit homme, mais c'est un grand acteur. **2.** Alexandre est un enfant agité, mais c'est un écolier studieux. **3.** Madame Claude est une femme seule, mais c'est une voisine bruyante ! **4.** Les ordinateurs sont des appareils pratiques, mais ce sont des objets chers. **5.** Le mari de Nadia est un mauvais mari, mais c'est un bon sculpteur. **6.** Kitty est une belle femme, mais c'est une mauvaise actrice. **7.** Monsieur Barlou est un maire respecté, mais c'est un ancien voyou ! **8.** Monsieur Hire est un voisin réservé, mais c'est un curieux personnage.

2 **1.** … nouveau … **2.** … neuves. **3.** … nouvelle … **4.** … vieille … **5.** … vieux …
6. … neufs … **7.** … ancien … **8.** … neuf …

3 **1.** L'appartement est un grand appartement ; il a 250 mètres carrés. Il est dans un vieil immeuble de 1800. Il n'y a pas d'ascenseur. Il y a une terrasse. **2.** Le studio est un petit appartement de 30 mètres carrés. Il est dans un immeuble neuf de 2013. Il y a un ascenseur. Il n'y a pas de terrasse.

Exemple : Mon appartement est un très petit studio de 25 mètres carrés. Il est à Paris dans un vieil immeuble de 1900. Il n'y a ni ascenseur ni terrasse.

13. LES NOMBRES. Exercices p. 59.

1 … trente-six, trente-neuf, cinquante. – Le numéro des pharmacies de garde, c'est le trente-deux, trente-sept. – Le numéro de la police, c'est le dix-sept. – Le numéro des pompiers, c'est le dix-huit. – Le numéro des urgences médicales (le SAMU), c'est le quinze.

2 Max : 543 points. Jules : 1 118 points. Pierre : 755 points. Ivan : 95 points.

3 **2.** … il y a trente ou trente et un jours. **3.** … il y a sept jours (une semaine = huit jours **en langage familier**). **4.** … il y a vingt-quatre heures. **5.** … il y a soixante minutes. **6.** … il y a soixante secondes.

4 – Quel est l'indicatif téléphonique de la Suisse ? – C'est le zéro zéro quarante et un.

– Quel est l'indicatif téléphonique du Cameroun ? – C'est le zéro zéro deux cent trente-sept.

– Quel est l'indicatif téléphonique du Luxembourg ? – C'est le zéro zéro trois cent cinquante-deux.

– Quel est l'indicatif téléphonique de la Belgique ? – C'est le zéro zéro trente-deux.

– Quel est l'indicatif téléphonique du Danemark ? – C'est le zéro zéro quarante-cinq.

5 Cent vingt-cinq plus cinquante et un égale cent soixante-seize. – Soixante-neuf moins dix-huit égale cinquante et un. – Vingt-six multiplié par trois, ça fait soixante-dix-huit. – Soixante-douze divisé par six, ça fait douze.

6 **Exemples :** Mon numéro de téléphone fixe est le zéro quatre, soixante-seize, cinquante-cinq, cinquante-six, soixante-dix-neuf. – Mon numéro de téléphone portable est le zéro six, dix-huit, vingt, trente-cinq, soixante-dix. – Mon numéro de téléphone au bureau est le zéro quatre, soixante-dix-neuf, onze, vingt-quatre, trente et un. – L'indicatif téléphonique de la France est le zéro, zéro, trente-trois.

13. LES NOMBRES. Exercices p. 61.

1 **2.** cinquante euros. **3.** quarante et un euros. **4.** deux cents euros. **5.** cent euros. **6.** cent soixante-dix euros. **7.** deux mille euros.

Exemple : Date : 15/10/2013 – Ordre : Maison de la culture (spectacle) – € 27 – Vingt-sept euros – M. Ducret Jérémy, 11 rue des Ternes, 69000 Lyon – À Lyon, le 15 octobre 2013.

2. 1. … Quatre Cents … **2.** … Vingt-Quatre … **3.** … Quatre … **4.** … Cent Un … **5.** Vingt-Quatre Mille … **6.** … Sept …

3. … sept mille … deux millions cinq cent mille rivets … trois cents … mille huit cent quatre-vingt-sept … mille huit cent quatre-vingt-neuf.

4. … soixante-deux … mille deux cent quarante-quatre … trois cent quatre-vingt-neuf … sept … quarante … deux millions trois cent mille …

Exemple : En Allemagne, il y a environ quatre-vingts millions d'Allemands. En moyenne, les Allemands partent à la retraite à soixante-cinq ans. En Allemagne, il n'y a pas de salaire minimum. Un billet de cinéma coûte environ sept euros. Un bon repas dans un restaurant à Berlin coûte autour de trente euros. Le journal le plus lu en Allemagne est le *Bild*, avec douze millions de lecteurs.

6. En France, il y a 25 jours de congés payés et 11 jours fériés, soit un total de 36 jours.

Exemples : En Autriche, il y a 25 jours de congés payés et 13 jours fériés, soit un total de 38 jours. – Au Japon, il y a 10 jours de congés payés et 16 jours fériés, soit un total de 26 jours. – En Espagne, il y a 22 jours de congés payés et 14 jours fériés, soit un total de 36 jours. – En Chine, il y a 5 jours de congés payés et 11 jours fériés, soit un total de 16 jours. – Aux États-Unis, il y a 10 jours de congés payés et 10 jours fériés, soit un total de 20 jours.

13. LES NOMBRES. Exercices p. 63.

1. **2.** Oui, il est au deuxième. **3.** Oui, ils sont au trente-deuxième. **4.** Oui, il est au quarante et unième.

3. … **2.** c'est le onzième. **Réponses possibles : 3.** c'est la soixante-troisième. **4.** c'est le deuxième.

3. **1.** … numéro … **2.** … nombre … **3.** … nombre … **4.** … numéro … **5.** … nombre … **6.** … nombre … **7.** … numéro … **8.** … numéros …

4. **1.** … ans **2.** … années **3.** … année … **4.** ans … année …

5. **2.** … la soirée **3.** … jours **4.** … années …

6. … ans … année … numéro … il y a … c'est … nombre … année …

14. LE TEMPS (1). Exercices p. 65.

1. **2.** Aujourd'hui, c'est jeudi. Nous sommes le vingt et un. Nous sommes en janvier. **3.** Aujourd'hui, c'est dimanche. Nous sommes le quinze. Nous sommes en août. **4.** Aujourd'hui, c'est vendredi. Nous sommes le douze. Nous sommes en décembre.

2. … le (31 août) … en (été) … le (dimanche) … en (août) … le (week-end) … le (matin) … le (soir) … au (printemps) … en (automne) … en (septembre) … ✔ (début) … au (mois) …

(3) **1.** Il est né en juillet, au dix-neuvième siècle. **2.** Elle est née en juin, au vingtième siècle. **3.** Il est né en mars, au dix-neuvième siècle. **4.** Il est né en août, au dix-huitième siècle.

(4) Mille huit cent soixante-douze – Mille six cent quatre-vingt-dix-huit – Mille trois cents – Mille quatre cent quatre-vingt – Mille huit cent trente-neuf.

Première voiture : Mille huit cent soixante-treize – Premier téléphone : Mille huit cent soixante-dix-sept – Premier téléphone portable : Mille neuf cent soixante-treize.

(5) **Exemples :** Je suis né un jeudi. Nous sommes mardi. Nous sommes au début du mois.

14. LE TEMPS (1). Exercices p. 67.

(1) Il est deux heures et quart. / Il est quatorze heures quinze.
Il est quatre heures et demie. / Il est seize heures trente.
Il est sept heures dix. / Il est dix-neuf heures dix.
Il est midi vingt-cinq. / Il est douze heures vingt-cinq.
Il est deux heures moins cinq. / Il est treize heures cinquante-cinq.
Il est quatre heures moins le quart. / Il est quinze heures quarante-cinq.
Il est neuf heures moins dix. / Il est vingt heures cinquante.
Il est dix heures du soir. / Il est vingt-deux heures.
Il est minuit. / Il est vingt-quatre heures.
Il est dix heures et quart. / Il est dix heures quinze.

(2) **2.** … est en retard … **3.** … tard … **4.** … nous sommes en avance. **5.** … tôt … **6.** … est en retard …

(3) **1.** … il est … il est … **2.** … il fait … il y a … **3.** … il fait … il y a … **4.** … il est … **5.** … il … il fait … **6.** … il fait … il y a …

(4) **Exemples : 1.** Il est cinq heures de l'après-midi. **2.** Il pleut. **3.** Nous sommes en automne. **4.** Nous sommes en 2013. **5.** Dans mon pays, en Norvège, il fait très froid en janvier. **6.** Il fait chaud au Brésil en février. **7.** En août, il fait beau dans mon pays. **8.** Il fait dix-huit degrés.

15. LES INDÉFINIS. Exercices p. 69.

(1) quelques étudiants habitent à la cité universitaire ; plusieurs cohabitent avec des amis ; tous habitent dans le centre ; aucun n'habite à l'hôtel.
… dans un deux-pièces. Certains vivent seuls ; d'autres vivent en couple. Certains sont propriétaires ; d'autres sont locataires.

(2) tous les fruits, mais surtout … tous les légumes, mais surtout … toutes les saisons, mais surtout … toutes les fleurs, mais surtout … tous les animaux, mais surtout … tous les sports, mais surtout … tous les styles de musique, mais surtout …

(3) **2.** … chaque … tous les … **3.** tous les … toutes les …

4   **1.** Tout le temps. **2.** Toutes les nuits. **3.** Tous les jours. **4.** Toute la vie. **5.** Tous les habitants. **6.** Toute la région. **7.** Tout le pays. **8.** Toutes les villes.

5   … quelques … quelques … plusieurs … aucun … aucune …

Exemples : Je connais tous les professeurs de mon lycée et quelques professeurs du lycée de mon frère. Je connais tous mes voisins et quelques amis de mes voisins.

15. LES INDÉFINIS. Exercices p. 71.

1   … quelques-unes sont … certaines sont … d'autres sont … aucune n'est … chacune …

2   **1.** Chaque … Chacun … **2.** quelques … Quelques-uns … **3.** … chacun … **4.** … chacun … Chaque … **5.** … quelques-uns …

3   **2.** Tous les … ils sont tous complets / aucun n'est complet. **3.** Toutes les … elles sont toutes occupées / aucune n'est occupée. **4.** Tous les … ils sont tous corrigés / aucun n'est corrigé.

4   **2.** … quelque chose. **3.** … quelqu'un … **4.** … quelque chose. **5.** … quelque part.

5   (Un revolver), c'est quelque chose de… – (Charlie Chaplin), c'est quelqu'un d'… – (Ma tante), c'est quelqu'un de… – (La liberté), c'est quelque chose d'important. – (Un milliardaire), c'est quelqu'un de très riche. – (Une star), c'est quelqu'un de très célèbre. – (L'argent), c'est quelque chose d'indispensable.

Exemples : Le sport, c'est quelque chose de bon pour la santé. – La cigarette, c'est quelque chose de mauvais pour la santé. – Le froid, c'est quelque chose de très tonique. – La chaleur, c'est quelque chose de confortable. – Un dirigeant, c'est quelqu'un de volontaire. – Un bon étudiant, c'est quelqu'un de studieux.

BILAN n° 1 p. 72.

1   … suis (brésilien) … J'ai (trente-quatre) … suis (grand) … j'ai (les yeux) … suis (professeur) … suis (marié) … j'ai (trois) … a (vingt-huit) … est (dessinatrice) … C'est (une artiste) …

… sommes (de Rio) … sommes à (Paris) … suis (en congé) … c'est (merveilleux) … avons (un petit) … il y a (beaucoup) … chez (nous) … il y a (le musée) … C'est (un très beau) … il fait (beau) … sur (la place) … sur (un banc) … il y a (des pigeons) … ce sont (des pigeons) …

… il est (midi) … il est (huit heures) … en (février) … C'est (l'hiver) … En (France) … il fait (froid) … au (Brésil) … il fait (très chaud) … Dans (les rues) … il y a (beaucoup) … c'est (le Carnaval) … sur (les places) … il y a (des orchestres) … ce sont (les écoles) … sur (les plages) … il y a (beaucoup de) …

2   … le (16 novembre) … toi (Paul) … mon (mari) … le (18 mai) … a (trente) … Cette (année) … la (campagne) … mes (parents) … Il fait (souvent) … en (novembre) … c'est (l'été) … il y a (beaucoup de) … c'est l'(époque) … il est (aussi) … c'est (un très bon) … son (miel) … le (département) … j'ai (envie) … J'ai (besoin) … de (vacances) …

BILAN n° 2 p. 73.

1 **1.** ... c'est ... il est ... les ... **2.** La ... de la ... La ... du ... **3.** ... à la ... il fait ... au ... il fait ... **4.** ... au ... du ... ma ... **5.** ... cet ... sur ... c'est ... **6.** ... au ... de ... **7.** ... ce ... il y a ... à la ... **8.** ... il est ... ses ... c'est ... **9.** ... en ... en ... au ... **10.** ... nombre ... numéros ... **11.** ... quelques ... plusieurs ... **12.** sommes le ... a ... **13.** ... quelques ... le ... **14.** ... nombre ... numéros ... **15.** ... Toutes ... aucune ...

16. LES VERBES EN « -ER » au PRÉSENT. Exercices p. 75.

1 **Réponses possibles** : **1.** – En général, je déjeune à une heure. **2.** – En général, je dîne à huit heures. **3.** – J'habite à Lyon. **4.** – J'habite dans le centre. **5.** – J'étudie le français avec un professeur dans une école.

2 **1.** ... vous commencez le travail à 9 heures ? **2.** ... vous terminez à 18 heures ? **3.** ... vous dînez pendant le journal télévisé ? **4.** ... vous mangez peu le soir ? **5.** ... vous regardez la télévision après le dîner ?

3 **3.** C'est vrai. Le printemps commence le 21 mars. **4.** C'est faux. La terre ne tourne pas autour de la lune. **5.** C'est faux. Ils ne marchent pas à six mois. **6.** C'est faux. Ils parlent portugais.

4 **Exemples** : Pour partager mes activités et mes goûts :

Je dessine. Depuis toute petite je passe des heures à dessiner. Parfois je suis très satisfaite du résultat. Parfois non. Ce qui compte, c'est la passion. Depuis trois mois, je perfectionne ma technique dans un cours de dessin qui a lieu tous les mardis soir à 19 h à la Maison des Jeunes de Chambéry.

J'écoute souvent David Garrett. J'aime autant ses morceaux de musique classique que ses morceaux de rock. Et j'aime particulièrement le mélange des genres, classique et contemporain, dans ses arrangements. C'est un violoniste hors pair qui joue avec une rapidité de virtuose. En 2008, il est recordman du morceau de violon joué le plus rapidement, avec le fameux et extraordinaire *Vol du bourdon*.

Comme séries télé, je regarde *Les Experts, Dallas, Koh Lanta* ou *Navarro*. Je ne regarde pas tous les épisodes systématiquement, je zappe et j'arrive toujours à reprendre le fil de l'histoire et des aventures. C'est pour la variété, l'aventure et l'évasion !

Les couleurs de mes vêtements préférés, ce sont des couleurs vives, qui flashent : le rouge, le jaune, le vert. Beaucoup de mes amies portent du noir, elles considèrent que c'est élégant. Moi, je trouve les habits noirs très tristes.

Le plat que je cuisine le plus souvent, c'est quelque chose de très simple : du riz basmati avec des courgettes cuites à la vapeur, arrosés d'un filet d'huile d'olive. Quand je cuisine, j'essaie toujours de ne pas faire des plats compliqués et comme ça je gagne du temps pour d'autres activités : le sport, le dessin, ou pour le farniente !

Je ne suis pas difficile, j'aime presque tous les aliments, sauf les betteraves rouges.

Ma devise pour tout est : j'apprécie et je ne me complique pas la vie !

16. LES VERBES EN « -ER » au PRÉSENT. Exercices p. 77.

1   **2.** ...es ...e **3.** ...ie ...es **4.** ...ent ...es **5.** ...e ...es ...e.

2   ... Ils achètent plusieurs disques par mois. Ils mangent et ils travaillent avec la radio allumée. Ils chantent des airs d'opéra sous la douche et ils jouent du rock dans le garage.

3   **1.** ... partageons un appartement. Nous nettoyons la cuisine. Nous essuyons la vaisselle. Nous jetons les vieux papiers. **2.** ... rejette ces propositions. Je suggère des modifications. J'appelle un juriste. **3.** ... dirigeons une entreprise. Nous engageons des employés. Nous plaçons de l'argent. **4.** J'essaye (**ou** J'essaie) un nouvel ordinateur. Je change notre matériel. Je paye (**ou** je paie) par chèque. **5.** ... voyage. J'emmène des amis. J'envoie des cartes postales.

4   **1.** ... commençons ... **2.** ... achetez ... **3.** ... appelons ... **4.** ... changeons ...

5   **1.** ...ère ... Moi, je préfère le café. **2.** ...oient ... Moi, j'envoie aussi beaucoup de SMS. **3.** ...eons ... Moi, je change de portable tous les quatre ans. **4.** ...ye/ie ... Moi, je paye/paie 1 000 euros par mois de loyer. **5.** ... Moi, je voyage beaucoup aussi. J'adore les voyages.

16. LES VERBES EN « -ER » au PRÉSENT. Exercices p. 78.

1   **1.** ... j'aime la cuisine chinoise. **2.** ... je cherche un appartement dans le centre. **3.** ... je reste deux mois à Paris. **4.** ... je joue aux échecs. **5.** ... je fume beaucoup. **6.** ... j'étudie le chinois. **7.** ... je parle italien. **8.** ... je recopie mes notes.

2   **1.** ...e ...e ... **2.** ...ent ...ent ... **3.** ...es ...es ... **4.** ...ent ...ent ... **5.** ...eons ...ons ... **6.** ...e ...e ... **7.** ...es ...es ... **8.** ...e ...ent ...e ... **9.** ...ez ...ez ... **10.** ...ions ...çons ...

3   **Réponses possibles :**
... à Rotterdam.
J'étudie.
Habituellement, je parle néerlandais.
J'achète souvent le *Telegraph*.
D'habitude, je passe mes vacances en Espagne.
En général, je dîne chez moi le soir.
À midi, je déjeune au restaurant universitaire.
J'étudie le français, l'espagnol et le russe.

16. LES VERBES EN « -ER » au PRÉSENT. Exercices p. 79.

1   **1.** ... joues ... **2.** ... travaille ... **3.** ... j'apprécie ... **4.** ... étudie ...

2   ...'enlève ...'écoute ... téléphone ... prépare ... aiment ... préfère ... mangeons ... regardons ... jouons ...

3   **1.** – Elle ferme à vingt heures (**ou** à huit heures). **2.** – Il passe à six heures et quart. – Il passe à vingt-trois heures quarante-cinq (**ou** à minuit moins le quart) **3.** – Il commence à vingt heures trente (**ou** à huit heures et demie). – Il termine à vingt-deux heures quinze (**ou** à dix heures et quart). **4.** – Le musée ouvre à quelle heure ? – Il ouvre à dix heures. – Il ferme à quelle heure ? – Il ferme à dix-heures heures quarante-cinq (**ou** à sept heures moins le quart).

(4) Vingt-deux pour cent des hommes aiment la côte de bœuf. Vingt-deux pour cent des hommes aiment le magret de canard. Vingt pour cent des hommes aiment les moules-frites. Dix-huit pour cent des hommes aiment le couscous.

Vingt pour cent des femmes aiment le magret de canard. Dix-neuf pour cent des femmes aiment le pavé de saumon. Dix-neuf pour cent des femmes aiment les tomates farcies. Dix-huit pour cent des femmes aiment la blanquette de veau.

(5) **Exemple :** Les goûts alimentaires des Français restent assez traditionnels, même s'il y a des évolutions.

En général, les Français aiment les produits frais, les bonnes salades (la salade verte, les tomates notamment, ou des salades composées), les viandes et volailles rôties, les gratins, le fromage, le bon pain.

Entre amis, avant les repas, ils aiment bien boire un apéritif. Le pastis est l'apéritif le plus traditionnel.

Les jeunes préfèrent souvent les plats cuisinés ou les sandwichs, les céréales au petit déjeuner, les desserts, les glaces, les biscuits, les sodas.

Les seniors aiment bien les plats mijotés longtemps, les soupes, les yaourts.

En général, les hommes dépensent plus pour le vin, l'alcool, la viande.

Les femmes dépensent plus pour les fruits et le poisson.

En moyenne, selon les estimations de 2013, les Français dépensent environ 400 euros par mois pour leur nourriture.

17. LE TEMPS (2). Exercices p. 81.

(1) **Réponses possibles : 1.** J'habite à la même adresse depuis trois ans. **2.** Je suis dans cette salle depuis deux heures. **3.** Je connais mon professeur depuis un mois. **4.** J'étudie le français depuis un an. J'ai ce livre depuis quelques semaines.

(2) **Réponses possibles** : Ça fait trois mois que je suis en France. **1.** Ça fait trois ans que j'habite à la même adresse. **2.** Ça fait deux heures que je suis dans cette salle. **3.** Ça fait un mois que je connais mon professeur. **4.** Ça fait un an que j'étudie le français. Ça fait quelques semaines que j'ai ce livre.

Il y a trois mois que je suis en France. **1.** Il y a trois ans que j'habite à la même adresse. **2.** Il y a deux heures que je suis dans cette salle. **3.** Il y a un mois que je connais mon professeur. **4.** Il y a un an que j'étudie le français. Il y a quelques semaines que j'ai ce livre.

(3) **Exemple :** Nous sommes en 2013 :
1. ... depuis 124 ... **2.** ... depuis 1945, c'est-à-dire depuis soixante-huit ... **3.** ... depuis 1994, c'est-à-dire depuis dix-neuf ... **4.** ... depuis 2002, c'est-à-dire depuis onze ...

(4) **2.** ... en ... **3.** ... pour ... **4.** ... en ... **5.** ... pour ...

5 **2.** … depuis … pour … **3.** … en … pendant … **4.** … depuis … **5.** … depuis que …
6. … en … **7.** Depuis que …

6 **Exemples :** Je fais trois exercices en 5 minutes. Je fais de la gymnastique pendant deux heures tous les jours deux fois par semaine. Je fais du rock acrobatique depuis 2010. Le matin, je fais mon lit en trois minutes. Je fais du jogging pendant une heure une fois par semaine, le week-end. Je joue du piano depuis 20 ans. Je fais du yoga une demi-heure tous les matins.

18. L'ADVERBE. Exercices p. 83.

1 **1.** … bon … **2.** … bon … mauvais … **3.** … mal … **4.** … bon … bien. **5.** … mauvaise … mal.

2 **2.** … c'est bien. **3.** … c'est bien … **4.** … c'est bon … **5.** … c'est bon …

3 **2.** … rapides. **3.** … vite … **4.** … lentement … **5.** … lents. **6.** …rapide … vite.

4 … beaucoup … très … beaucoup … très … beaucoup … beaucoup … très …

5 bien … beaucoup … bons … bonnes … vite … rapide … vite … bien … bon … lents … mal … bien … vite … bon …

18. L'ADVERBE. Exercices p. 85.

1 chaudement – sèchement – rarement – régulièrement – gentiment – longuement – sincèrement – vraiment – mollement – énormément – poliment – pauvrement – discrètement – franchement – simplement – légèrement – passivement – suffisamment – secrètement – fréquemment – follement – absolument – méchamment – récemment – rapidement.

2 **1.** … bruyamment. **2.** … attentivement. **3.** … patiemment. **4.** … sérieusement. **5.** … prudemment.

3 doucement
franchement
gentiment
fermement

4 Cordialement. – Amicalement. – Tendrement.

5 **Réponses possibles :** **1.** énormément / J'aime énormément les œuvres de Picasso. **2.** fréquemment / Je téléphone fréquemment à mes parents ! **3.** lentement / Parlez lentement, sinon je ne comprends pas ! **4.** régulièrement / Je vais régulièrement chez le coiffeur, tous les quinze jours environ.

6 **Réponses possibles :** **2.** – Oui, je danse souvent. (**ou** – Non, je ne danse pas souvent.) **3.** – Oui, je regarde souvent la télévision. (**ou** – Non, je regarde rarement la télévision.)

4. – Oui, je parle quelquefois français. (**ou** – Non, je ne parle pas souvent français.) **5.** – Oui, je regarde de temps en temps la BBC. (**ou** – Non, je regarde rarement la BBC).

19. L'EXPRESSION de LA QUANTITÉ. Exercices p. 87.

1 … du (beurre) … de la (confiture) … du (café) … du (fromage) … des (biscuits) … du (Coca) … du (riz) … des (pâtes) … de la (soupe) … des (frites) … du (ketchup) … des (crêpes) … du (chocolat) … des (bananes) … du (magnésium) … du (calcium) … du (potassium) … de la (force) … du (tonus) … des (kilos).

2 – … vous avez comme plats ? – Nous avons du thon grillé et du poulet basquaise.

– … vous avez comme desserts ? – Nous avons de la crème caramel et de la salade de fruits.

3 **2.** … il y a de l'air. **3.** … il y a de l'eau. **4.** … de l'essence.

4 Il a de l'argent. – Il a du goût. – Il a de l'énergie.

5 … de la neige.
… des nuages.
… du soleil.

6 … du blé, de l'orge, des raisins.
Au Japon, on produit du riz, du sucre, des mandarines.
Au Brésil, on produit du sucre, du café, du maïs, des bananes.
Au Togo, on produit du manioc, du coton, du cacao.
En Grèce, on produit des raisins, des olives, du tabac.

Exemples : Au Mali, il y a du pétrole, des matières fossiles, des pierres précieuses, du quartz, de l'or, des phosphates, du marbre, du granit. Au Nigeria, il y a du pétrole, du gaz naturel, du charbon, du fer, du zinc, de l'étain, de l'uranium.

19. L'EXPRESSION de LA QUANTITÉ. Exercices p. 89.

1 **1.** … de (limonade) … du (café) … de la (glace) … de (chantilly) … du (pastis) … de (sirop) … d'(eau). **2.** … de (courgettes) … de (haricots) … de (haricots) … de (carottes) … d'(huile) … du (sel) … du (poivre) … du (basilic) … d'(ail)… de (pommes de terre).

2 **2.** … de l'… un peu d'… **3.** … de la … pas de … **4.** … des … un peu de … **5.** … de la … beaucoup de …

3 **Questions et réponses possibles :**

– Dans la salade « Niçoise », il y a des tomates, du thon, des olives et de l'huile d'olive. Il n'y a pas de mayonnaise. Il n'y a pas de fromage.

– Qu'est-ce qu'il y a dans la salade « Indienne » ? – Il y a du poulet, du maïs, du soja, de la salade, du curry. – Il y a du fromage blanc dans la salade « Indienne » ? – Non, il n'y a pas de fromage blanc.

– Qu'est-ce qu'il y a dans le sandwich « Chef » ? – Il y a de la viande froide, des carottes, de la moutarde. – Il n'y a pas de salade verte dans le sandwich « Chef » ? – Non, il n'y a pas de salade verte. – Il y a des olives dans le sandwich « Chef » ? – Non, pas dans celui-ci.

4 du … / un tube de dentifrice
de l'… / une bouteille d'eau
des … / une boîte de petits pois
des … / un paquet de biscuits

5 … beaucoup de … peu de … peu de … beaucoup d'… beaucoup d'… beaucoup de … peu d'…

6 **Exemples** : **1.** Le matin, en général, je mange du pain avec du beurre et de la confiture. Je mange quelques tartines de pain avec un peu de beurre et beaucoup de confiture. Ma confiture préférée, c'est la confiture d'abricots. **2.** À midi, je mange en général de la salade verte, de la viande, des légumes et des fruits en dessert. Je mange un peu de salade verte, un peu de viande, beaucoup de légumes et un ou deux fruits en dessert. J'aime bien les fruits en dessert. **3.** Le soir, en général, je mange une soupe, une omelette et un yaourt. Je mange beaucoup de soupe (j'adore la soupe de légumes), un peu d'omelette et un peu de yaourt.

20. LE PRONOM « EN ». Exercices p. 91.

1 **1.** Oui, j'en achète. Et vous, vous en achetez ? **2.** – Oui, j'en mange. Et vous, vous en mangez ? **3.** – Oui, j'en porte. Et vous, vous en portez ? **4.** – Oui, j'en consomme. Et vous, vous en consommez ? **5.** Oui, j'en ai. Et vous, vous en avez ?

2 **Réponses possibles :**
Non, ils en ont quatre.
Oui, ils en ont un chacun.
Non, nous en avons cinq.
J'en ai trois.

3 **Exemples :**
Dans le frigo, il y a de la viande ? – Oui, il y en a 100 grammes.
Il y a de l'eau dans le frigo ? – Oui, il y en a une bouteille.
Et est-ce qu'il y a des glaçons ? – Oui, il y en a beaucoup.
Y a-t-il des yaourts dans le frigo ? – Oui, il y en a quelques-uns.
Est-ce qu'il y a du lait dans le frigo ? – Non, il n'y en a pas.
Il y a du beurre dans le frigo ? – Oui, il y en a un peu.
Il y a du coca dans le frigo ? – Non, il n'y en a pas.

4 **1.** … n'en a pas. **2.** … n'en a pas. **3.** … n'en ai pas. **4.** … il n'y en a pas. **5.** … n'en mangent pas. **6.** … n'en avez pas.

5 **2.** Du cirage. **3.** Du ketchup. **4.** De l'argent liquide. **5.** De la confiture. **6.** De l'essence.
Exemples : J'en mets sur mes pizzas et j'en mange à la fin des repas. Du fromage. – J'en mets avant d'aller voir mon petit ami/ma petite amie. Du parfum.

20. LE PRONOM « EN ». Exercices p. 93.

① **2.** – Vous parlez souvent du travail ? – Oui, j'en parle avec mes collègues. **3.** – Vous parlez souvent du passé ? – Oui, j'en parle avec mon psychanalyste. **4.** – Vous parlez souvent de l'avenir ? – Oui, j'en parle avec mon astrologue.

② **2.** ... rêvent d'... en rêvent ... **3.** ... as peur du ... 'en ai peur ... **4.** ... avez besoin de ... 'en ai besoin ... **5.** ... est content de ... en est content ...

③ **2.** ... de la ... – Vous mangez de la viande ? – Oui, j'en mange. – Vous mangez de la viande tous les jours ? – Non, je n'en mange pas tous les jours. **3.** ... du ... – Vous buvez du café ? – Oui, j'en bois. – Vous buvez du café le soir ? – Non, je n'en bois pas le soir. **4.** ... du ... – Vous faites du sport ? – Oui, j'en fais. – Vous faites du sport régulièrement ? – Non, je n'en fais pas régulièrement. **5.** ... des ... – Vous mangez des bonbons ? – Oui, j'en mange. – Vous mangez beaucoup de bonbons ? – Non, je n'en mange pas beaucoup. **6.** ... des ... – Vous achetez des revues ? – Oui, j'en achète. – Vous achetez souvent des revues ? – Non, je n'en achète pas souvent.

④ **Réponses possibles** : (voiture) Oui, j'en ai une. – (garage) Non, je n'en ai pas. – (carte de crédit) Oui, j'en ai une. – (carte de transport) Non, je n'en ai pas. – (lunettes) Oui, il en a. – (chien) Oui, ils en ont un. – (pâtes) Non, je n'en mange pas beaucoup. – (piano) Non, je n'en ai pas. – (parfum) Oui, j'en mets de temps en temps. – (montre) En général, je n'en porte pas.

21. LA SITUATION dans L'ESPACE (2). Exercices p. 95.

① **1.** ... en (Dordogne) ... dans le (Périgord) ... en (Bourgogne) ... en (Bretagne) ... en (Provence), dans le (Var) ... dans les (Bouches-du-Rhône). **2.** ... dans les (Cévennes) ... dans les (Alpes), dans le (Massif central), dans les (Vosges) ... en (Alsace). **3.** ... en (Bretagne) ... en (Normandie).

② **1.** ... de Roumanie. **2.** ... d'Espagne. **3.** ... du Brésil. **4.** ... d'Australie.

③ C'est du café de Colombie. Ce sont des avocats d'Israël. C'est du riz de Thaïlande. Ce sont des tulipes de Hollande. C'est de la morue du Portugal. Ce sont des oranges du Maroc. C'est du beurre de Normandie. C'est du tabac de Hongrie.

④ **1.** ... de ... du ... d'... **2.** ... d'... du ... **3.** ... du ... d'... **4.** ... des ... du ...

⑤ **1.** ... de ... du ... **2.** ... de ... du ... de ... **3.** ... d'... du ... d'... en ... **4.** ... en ... du ... en ... au ... **5.** ... des ... de ... à ...

22. LE COMPARATIF et LE SUPERLATIF. Exercices p. 97.

1 **2.** Les femmes sont moins musclées que les hommes. **3.** Les garçons sont aussi intelligents que les filles ! **4.** La Lune est plus petite que la Terre. **5.** Le mois de janvier est aussi long que le mois de juillet. **6.** La voiture est moins rapide que le train. **7.** Un kilo de plumes est aussi lourd qu'un kilo de plomb !

2 **1.** … est encore plus belle que lui. **2.** … est encore plus bruyant qu'elle. **3.** … est encore moins gentille que lui. **4.** … est encore plus désordonné qu'eux. **5.** … est encore moins banale que lui.

3 … plus (peuplée) … moins de (ressources) … moins (fatigants) que … plus de (temps) … moins (chers) … plus (vite) … moins (sauvage) … plus (vite) … plus de (temps) … qu' … aussi (aveuglément) qu'… aussi (intolérants).

4 Elle lit plus et elle fait plus d'exercices. Elle est plus avancée et progresse plus vite. Son ami hésite plus quand il parle et il fait plus de fautes. Magda travaille plus que lui. Elle est plus sérieuse, mais elle est aussi plus douée.

22. LE COMPARATIF et LE SUPERLATIF. Exercices p. 98.

1 … autant de … autant de … aussi … autant de … aussi …

2 … aussi beau que … autant de charme qu'… – … autant de vêtements que … aussi élégant qu'… – … aussi cultivé que … autant de livres qu'… – … autant d'argent que … aussi riche qu'…

3 Les adultes ne bougent pas autant.
Les adultes ne sont pas aussi confiants.
Les adultes ne pleurent pas autant.
Les adultes ne sont pas aussi amusants.

4 … moins chères qu'à l'hôtel Luxor. – À l'hôtel Luxor, les chambres sont plus grandes qu'à l'hôtel Panorama. – L'hôtel Panorama est plus calme que l'hôtel Luxor. – L'hôtel Luxor est plus confortable que l'hôtel Panorama. – L'hôtel Panorama a plus de charme que l'hôtel Luxor.

5 **Exemple :** L'hôtel sans étoile est le moins cher, c'est aussi le moins confortable, mais c'est le plus authentique ! L'hôtel cinq étoiles est le plus standardisé, c'est celui qui offre le plus de prestations, c'est là que le petit déjeuner est le plus copieux et que les salles de bains sont les plus grandes.

6 **Exemple :** … Bien sûr, il a moins d'expérience que lui, mais il est tout aussi compétent dans son travail et il a des résultats au moins aussi bons. Ils sont aussi appréciés l'un que l'autre de leurs amis. Et ils ont autant d'humour l'un que l'autre.

22. LE COMPARATIF et LE SUPERLATIF. Exercices p. 99.

1 **Réponses possibles :** … il n'y a pas autant de cinémas, de théâtres, de musées. L'atmosphère est moins polluée, mais les emplois sont moins nombreux et moins variés. Les logements sont plus grands. Les possibilités de rencontres sont plus limitées.

2 **Réponses possibles : 2.** … que la Russie est le pays le plus grand du monde en superficie. **3.** … que le chien est l'animal le plus fidèle. **4.** … John Kennedy est l'homme politique le plus célèbre. **5.** … la profession d'enseignant est la profession la plus intéressante. **6.** Pour moi, le cyclisme est le sport le plus difficile. **7.** Selon moi, Elinore est le plus beau prénom de fille. **8.** Je trouve que Luc est le plus beau prénom de garçon.

3 **Réponses possibles : 1.** Je passe plus de temps avec ma famille qu'avec mes amis. **2.** J'ai plus d'amies filles que d'amis garçons. **3.** Je dors plus le week-end qu'en semaine. **4.** Je regarde plus de films que de séries télé. **5.** Je mange plus à midi que le soir. **6.** Je communique plus par textos que par téléphone. **7.** Je m'occupe plus du ménage que mon mari. **8.** Je fais moins de fautes de français qu'avant. **9.** Je ne suis pas aussi à l'aise en français que dans ma langue maternelle. **10.** Je n'ai pas autant de vocabulaire en français qu'en anglais. **11.** C'est mon frère Jérémy qui est le plus jeune dans la famille. **12.** Le riz est l'aliment qu'on consomme le plus dans mon pays. **13.** Le journal le plus lu en Grande-Bretagne est le *Sun*.

4 **Réponses possibles** : Paris, New York, Tokyo : Paris est la ville ancienne, Tokyo est la ville la plus peuplée, Tokyo est également la ville la plus vaste.

22. LE COMPARATIF et LE SUPERLATIF. Exercices p. 101.

1 **1.** … c'est bon … c'est meilleur. **2.** … c'est bien … c'est mieux. **3.** … c'est bon … c'est meilleur. **4.** … c'est bon … c'est meilleur. **5.** … c'est bien … c'est mieux.

2 … à la meilleure … à la meilleure … au meilleur … aux meilleurs … à la meilleure … aux meilleurs … au meilleur …

Exemples : Le Top 50 est un hit-parade, un classement effectué chaque semaine pour les meilleurs chanteurs, les meilleures ventes de singles. *Télérama* donne le palmarès pour les meilleures séries télé, les meilleures séries fantastiques, les meilleures séries de suspense, les meilleures séries d'action, les meilleurs remakes.

3 **1.** … meilleur … meilleures. **2.** … mieux … le mieux. **3.** … mieux … meilleurs. **4.** … meilleur … mieux … **5.** … le mieux … le meilleur … **6.** … la meilleure …

4 **Réponses possibles** : **1.** … c'est bien, mais dormir huit heures, c'est mieux. … il vaut mieux dormir huit heures. **2.** … c'est bien, mais faire deux heures de gymnastique, c'est mieux. … il vaut mieux faire deux heures de gymnastique. **3.** … c'est bien, mais partir en week-end le vendredi soir, c'est mieux. … il vaut mieux partir en week-end le vendredi soir. **4.** … c'est bien, mais travailler en équipe, c'est mieux. … il vaut mieux travailler en équipe.

5 … l'écran est plus grand, l'atmosphère est plus prenante et c'est plus convivial d'être entouré de gens. – Il vaut mieux prendre ses vacances en hiver parce que, dans la plupart des lieux touristiques, il y a moins de monde et les taris sont moins chers. Sauf dans les stations de ski où il y a plus de monde et plus d'animation en hiver. – Il vaut mieux cuisiner soi-même parce que c'est plus sain et c'est plus frais. – Il vaut mieux dépenser son argent parce que c'est plus agréable d'en profiter tout de suite et que l'avenir est incertain.

23. LE VERBE « ALLER ». Exercices p. 103.

1 **2.** Je vais à la cantine. **3.** Je vais au bureau. **4.** Je vais au supermarché. **5.** Je vais dans une école de langue.

2 Quand j'ai mal aux dents, je vais chez le dentiste. Quand j'ai mal aux yeux, je vais chez l'ophtalmo(logue). Quand j'ai mal au dos , je vais chez le kiné(sithérapeute).

3 **2.** … allez en … en … **3.** … va en … en … **4.** … vont au … en … **5.** … vas en … en … **6.** … allons au … en …

4 … en bus, en camion, en pousse-pousse, en train, en stop, en métro, à pied, en tuk-tuk, à cheval, en rollers, à bicyclette, en canoë, à/en trottinette, à/en skis.

5 **1.** … en (voiture) … va à l'(université) … en (bus) … va à l'(école) … à (pied). **2.** … allons en (Grèce) … allons (d'Athènes) … en (avion) … en (bateau) … allons … au (village) … à (cheval) … à (dos) … en (jeep) … à (bicyclette) … à (pied). **3.** … vont à la (montagne), dans les (Alpes) … vont à la (campagne), en (Provence) … dans les (Cévennes).

6 **Réponses possibles :**

… je rentre chez moi en métro également. Je retourne à l'université à quatorze heures, toujours en métro. Je termine le travail vers cinq heures, et souvent après le travail je vais faire quelques courses au centre-ville en bus, puis je rentre chez moi, soit en bus, soit en métro.
… je vais à la mer en camping-car. Pour quelques longs week-ends, je vais à Paris en train. Fin décembre je vais en Inde ou au Brésil en avion.

24. LE PRONOM « Y ». Exercices p. 105.

1 **Réponses possibles** : **1.** J'y suis pour deux ans. **2.** J'y vais jeudi. **3.** J'y retourne en avril. **4.** J'y vais en taxi. **5.** Je suis chez moi jusqu'à huit heures.

2 … allons au … y allons aussi jeudi soir.
… va en … y vont aussi en juin.
…. vont aux … Il y va aussi à Noël.
… allons au … y va aussi samedi.

3 **1.** Il y va avec Isabelle. **2.** – Oui, elle s'y intéresse. **3.** – Non, elle ne s'y intéresse pas beaucoup. **4.** – Non, il y va à pied. **5.** – Non, ils y vont à bicyclette.

4 **Réponses possibles** : **2.** – Non, je n'y vais pas à pied parce que c'est trop loin. **3.** – Non, je n'y vais pas en semaine parce que je n'ai pas le temps. **4.** – Non, je n'y vais pas à midi parce qu'il fait trop chaud à cette heure-là.

25. LA SITUATION dans L'ESPACE et LE TEMPS (3). Exercices p. 107.

1 2. … à … à … 3. … de … à … 4. … à … jusqu'à … 5. … le … jusqu'au … 6. … à partir de … 7. … de … à …

2 … environ … vers … vers … environ … environ … vers … vers … environ … environ …

3 … à (Orly) … à l'(aéroport) … au (premier) … au (guichet) … à (5 heures) … à (midi) … de (7 heures) … à (7 heures) … environ (une heure) …du (vendredi) …au (lundi) … vers (trois) …

4 2. … parmi … 3. … entre … 4. … entre … 5. … entre … 6. … parmi …

5 … environ … au … au … entre … entre … à … jusqu'à … parmi …

26. LES VERBES en « -IR », « -OIR » et « -RE ». Exercices p. 109.

1 1. … salissez … 2. … guérissent … 3. … vieillissent… 4. … réfléchis … 5. … grossissons … 6. … applaudissent … 7. … rougissent … évanouissent …

2 2. … partez … pars … 3. … sortez … sors … 4. … suivez … suis … 5. … dormez … dors …

3 1. … partent … 2. … vivent … 3. … sortent … 4. … suivent … 5. … servent …

4 …issent …issent … it …issent …it.

5 **Exemple :** En général, je dors huit heures par nuit. Je sors tous les samedis soirs. Je finis toujours tout mon travail avant de sortir. J'offre un cadeau-surprise à mon amie une fois par mois, et à chaque fois elle ouvre le paquet avec la plus grande impatience !

26. LES VERBES en « -IR », « -OIR » et « -RE ». Exercices p. 111.

1 2. … bats … 3. … entend … 4. … mets … 5. … vends …

2 1. … conduis 2. … grossis … maigrissez 3. … sortent … éteignent … 4. … reconnaissez … entendez … 5. … voient … ralentissent 6. … choisissent … offrent …

3 … lisent. … vendent. … servent. … peignent. … traduisent … courent … mentent.

4 Ils perdent. Ils partent. Ils descendent. Ils vendent. Ils éteignent. Ils maigrissent. Ils construisent.

5 … court … rit … croit … part.

6 **Exemples :** En voiture, je ralentis en ville et dans les virages, je conduis moins vite qu'avant à cause des contrôles radar. – Quand je mange trop de gâteaux, je grossis. – Je ris très peu dans une journée, comme la plupart des adultes ! – Je perds rarement mes affaires, parce que je fais très attention à toujours les ranger au même endroit. – De toute façon, je ne crains rien parce que j'ai une bonne assurance !

26. LES VERBES en « -IR », « -OIR » et « -RE ». Exercices p. 113.

(1) **2.** Je prends du chocolat, et vous, qu'est-ce que vous prenez ? **3.** Je bois de l'eau, et vous, qu'est-ce que vous buvez ? **4.** Je fais des exercices, et vous, qu'est-ce que vous faites ?

(2) … veulent faire une petite fête pour leur anniversaire. Ils prennent leur carnet d'adresses et ils choisissent une quinzaine de personnes, mais comme ils connaissent plus de garçons que de filles, ils disent à leurs amis d'amener des copines. La veille de la fête, ils reçoivent beaucoup de coups de téléphone et le jour de la fête, ils sont tout excités : ils attendent une trentaine de personnes et ils doivent tout préparer ! Ils descendent au deuxième et au premier étage car ils veulent mettre un petit mot sur la porte des voisins pour s'excuser du bruit. Ensuite, ils mettent des disques d'ambiance, ils font des cocktails de fruits et ils attendent les premiers invités.

(3) … prenez … prends … peux … voulez … prenons … veux … peux … voulez …

26. LES VERBES en « -IR », « -OIR » et « -RE ». Exercices p. 114.

(1) … prennent un grand saladier. Ils mettent 250 grammes de farine. Ils font un puits au centre. Ils battent trois œufs avec la farine. Ils mettent un demi-litre de lait petit à petit. Ils font reposer la pâte une heure. Ils prennent une poêle. Ils font chauffer un peu d'huile. Ils mettent une petite louche de pâte. Ils font cuire des deux côtés. Ils mettent du sucre.

(2) … au bureau en bus. Elles attendent parfois huit à dix minutes dans le froid et elles mettent trente-cinq minutes environ pour arriver à l'Opéra, mais elles ne sont pas pressées, car elles ont un horaire très flexible. Elles prennent toujours le même bus à la station Châtelet et avant de partir, elles boivent un café au Sarah-Bernhardt. Dans le bus, elles lisent presque entièrement le journal. Elles peuvent même préparer leur journée de travail : elles écrivent quelques mots dans leur agenda, elles font des calculs, elles prennent des notes. Quand elles descendent à l'Opéra, elles ont l'impression d'être en vacances. Elles ont envie de regarder les vitrines et les passants. Elles ne se sentent pas aussi fatiguées que lorsqu'elles sont obligées de prendre le métro. Elles prennent le même bus que Pierre, mais elles ne le connaissent pas, ou pas encore…

(3) **1.** … peuvent venir quand ils veulent. **2.** … ne croient pas ce qu'ils voient. **3.** … suivent la mode et elles connaissent les stars. **4.** … ne boivent pas car ils doivent conduire. **5.** … savent peindre et elles peignent très bien.

26. LES VERBES en « -IR », « -OIR » et « -RE ». Exercices p. 115.

(1) **1.** … prenez … **2.** … prennent … **3.** … apprend … **4.** … apprennent … **5.** … comprenons … **6.** … vient … **7.** … viens … **8.** … reviens … **9.** … souvenez … **10.** … souviens …

(2) **1.** Oui, quand je vais au bureau, je pars à huit heures. **2.** Oui, quand je monte au cinquième étage, je prends l'ascenseur. **3.** Oui, quand je prends des notes, j'écris en français. **4.** Oui, quand je veux lire, je mets des lunettes. **5.** Oui, quand je bois du café le soir, je prends du décaféiné. **6.** Oui, quand je reçois un message, je réponds toujours. **7.** Oui, quand je suis au théâtre, j'applaudis longtemps les acteurs.

3 **2.** ...s ... **3.** ...ds ... **4.** ...ds ... **5.** ...s ... **6.** ...ds ... **7.** ...ds ... **8.** ...ds ... **9.** ...d ... **10.** ...t ... **11.** ...dent ... **12.** ...dent ...

4 **Réponses possibles** : J'éteins mon réveil. Je mets mes pantoufles. J'allume la radio. Je prends une douche. Je fais de la gymnastique. Je bois un café. Je lis les nouvelles. Je consulte mes messages.

26. LES VERBES en « -IR », « -OIR » et « -RE ». Exercices p. 117.

1 ... prends ... prends ... mets ... prends ... prends ... mets ... mets ... prend ...

2 ... font ... jouent ... faisons ... faisons ... fait ... jouons ... joue ... joue ... joue ...

3 **1.** Non, je fais laver mon linge. **2.** Non, je fais faire le ménage. **3.** Non, je fais traduire mes textes. **4.** Non, je fais repeindre mon appartement. **5.** Non, je me fais couper les cheveux.

4 **Réponses possibles** : Je fais du tennis. Je joue de la guitare. Je ne fais pas la cuisine tous les jours. Je fais du riz ou des pâtes le plus souvent. Je fais moi-même le ménage une fois par semaine. Je fais le tri sélectif. Je mets une demi-heure pour aller au lycée. Je prends le bus pour y aller. Quand il fait froid en hiver, pour sortir je mets une écharpe et des gants. En été, je mets des lunettes de soleil et un chapeau.

26. LES VERBES en « -IR », « -OIR » et « -RE ». Exercices p. 119.

1 **1.** – Oui, je peux courir très longtemps. / – Non, je ne peux pas courir très longtemps. **2.** – Oui, je peux travailler dans le bruit. / – Non, je ne peux pas travailler dans le bruit. **3.** – Oui, je peux faire mes calculs sans calculatrice. / – Non, je ne peux pas faire mes calculs sans calculatrice. **4.** – Oui, je peux toucher le plafond de la main. / – Non, je ne peux pas toucher le plafond de la main. **5.** – Oui, je peux fumer en classe. / – Non, je ne peux pas fumer en classe.

2 On doit ... On ne peut pas ... On doit ... On ne peut pas ... On ne peut pas ... On doit ... On peut... On ne peut pas ... On peut ...

3 **2.** ... doit faire ... **3.** ... doit coûter ... **4.** ... doit y avoir ...

4 ... on doit/il faut ... on doit/il faut ... peuvent ... doit ... doivent ... peuvent ... doivent ... peuvent ...

5 **Exemple :** En France, on peut voter à partir de 18 ans ; pour voter il faut une carte d'électeur. On peut conduire un scooter de moins de 50 cm³ à partir de 14 ans ; il faut avoir le brevet de sécurité. On peut conduire une voiture à partir de 18 ans ; pour conduire une voiture il faut un permis de conduire. On peut piloter un avion à partir de 15 ans ; il faut un brevet de pilote. Il n'y a pas d'âge minimum pour entrer à l'université ; il faut simplement avoir le bac. On peut se marier à partir de 18 ans ; il faut constituer un dossier de mariage : il faut présenter des documents d'identité, une attestation de célibat ou de séparation, un certificat médical et la liste des témoins.

26. LES VERBES en « -IR », « -OIR » et « -RE ». Exercices p. 121.

1 **1.** ... connaît ... sait ... **2.** ... connaissez ... connais ... **3.** ... sait ... connaît ... **4.** ... sait ... connaît ... **5.** ... savez ... connais ... **6.** ... sais ... connais ... **7.** ... savent ... sait ...

2 ... veux ... sais ... connais ... sais ... connais ... veux ... veux ... connais ... veux ... veux ...

3 ... voudrais ... voulez ... sais ... veut ... connais ... peut ... veut ... peut ... connais ...

4 ... ne pouvez pas ... savez ... sait ... ne sais pas ... ne peux pas ...

5 **Exemples :** Je sais nager, je sais jouer de la flûte traversière, je sais faire du vélo, je sais faire du surf, je sais danser le tango, je sais chanter quelques airs d'opéra.

Plus tard, je souhaite trouver une profession qui m'intéresse. Je souhaite pouvoir rester dans ma région. Je souhaite voyager uniquement pendant les vacances, pas pour le travail. Et j'espère trouver un mari/une femme sympathique !

27. LES VERBES PRONOMINAUX. Exercices p. 123.

1 **1.** – Je me réveille tôt le matin (**ou** Je me réveille tard). **2.** – Je me prépare vite (**ou** Je me prépare lentement). **3.** – Je me couche avant minuit (**ou** Je me couche après minuit). **4.** – Je m'endors facilement (**ou** Je m'endors avec difficulté). **5.** – Je me souviens toujours de mes rêves (**ou** Je me souviens quelquefois de mes rêves).

2 **Réponses possibles** : **2.** – Ils se couchent à dix heures le samedi. **3.** – Il se parfume avec « Habit rouge » . **4.** – Elle s'habille toujours en bleu.

3 **2.** ... ne m'énerve pas facilement. **3.** ... ne m'ennuie pas en classe. **4.** ... ne nous arrêtons pas à midi.

4 **2.** ... se parfume ... **3.** ... se trompent ... **4.** ... vous énervez ... **5.** ... se regarde ...

5 ... s'... Nous nous ... nous nous ... nous nous ... s'... ne se ... ne me ... ne me ... se ... s'...

6 ... ils s'admirent, ils s'adorent, ils se regardent souvent, ils se prennent dans les bras.

28. LES PRONOMS COMPLÉMENTS. Exercices p. 125.

1 – Oui, je la regarde régulièrement. – Oui, je les regarde parfois. – Oui, je le consulte souvent. – Oui, je les lis. – Oui, je les garde.

② **Réponses possibles** : Non, je ne la regarde pas régulièrement ; je la regarde de temps en temps. – Non, je ne les regarde jamais ; je déteste la pub. – Non, je ne le consulte pas souvent ; je ne suis pas très expert(e) sur Internet. – Non, je ne les lis presque jamais ; je préfère la rubrique littéraire. – Non, je ne les garde pas ; je les jette à la poubelle.

③ **2.** … je le regarde … **3.** … je les arrose … **4.** … je l'emmène … **5.** … je les laisse … **6.** … je les fais …

④ **1.** … il les emporte … **2.** … elle nous attend … **3.** … je le connais … **4.** … je vous entends … **5.** … je les oublie … **6.** … j'aime ça …

⑤ **Réponses possibles** : Je recharge mon portable quand la batterie est vide. Je nettoie mes vêtements quand ils sont sales. J'appelle le médecin quand je suis malade. Je mets l'alarme de mon réveil quand j'ai une obligation importante. Je vide la corbeille de mon ordinateur quand il y a trop de fichiers qui ne servent à rien. J'allume la lumière quand il fait sombre. J'éteins le chauffage quand il fait chaud.

28. LES PRONOMS COMPLÉMENTS. Exercices p. 127.

① **1.** – Oui, je lui téléphone le dimanche. **2.** – Oui, je leur écris souvent. **3.** – Oui, je leur réponds rapidement. **4.** Oui, je lui offre des fleurs. **5.** Oui, je lui dis bonjour.

② … Elle lui offre un petit cadeau et elle lui écrit une poésie. Elle lui dit de jolies choses et elle lui donne un paquet bien fermé, pour la surprise. (Chaque année, elle lui offre un collier de perles violettes.) Elle lui sourit fièrement, elle lui demande si ça lui plaît, et elle lui dit que le violet lui va bien.

③ … le (rencontre) … lui (parlent) … lui (posent) … lui (racontent) … les (écoute) … leur (répond) … leur (donne) … leur (serre) … les (embrasse) … les (prend) … le (détestent)… l'(adorent).

④ Elle ne me prête pas ses livres.
Elle ne me raconte pas ses secrets.
Elle ne m'accompagne pas chez moi.

⑤ **Exemples** : • Relation entre un enfant et un animal domestique : Aurélie a un petit chat depuis huit jours. Elle le regarde tout le temps. Elle lui donne du lait. Elle le promène dans son jardin. Elle lui montre les fleurs. Et quelquefois il la griffe !

• Relation entre un médecin et ses patients : le Docteur Guillaud est très proche de ses malades : non seulement il prend le temps de les ausculter, mais il prend aussi le temps de les écouter. Il les réconforte et il leur donne des conseils. Il ne leur donne pas trop de médicaments, et il leur prescrit parfois de changer de mode de vie : par exemple, quand des patients ont un mal de gorge chronique, il leur dit d'arrêter de fumer. La plupart de ses patients lui font entièrement confiance, le prennent très au sérieux, et parfois suivent ses conseils !

• Relations entre une star et des journalistes, des photographes, des admirateurs : Manon Chouraqui aime recevoir des journalistes. Quand ils lui posent des questions, elle leur répond avec plaisir, elle leur dit souvent la vérité, parfois elle leur ment. Mais tout le monde la croit et l'admire, tant elle est belle !

Quand elle est avec des photographes, elle les reçoit avec encore plus de plaisir. Elle leur fait des poses de séductrice, elle les regarde avec humour, elle leur fait des suggestions, elle ne leur permet pas de publier toutes les photos, elle leur indique les photos qu'elle préfère, elle leur signale les retouches à faire.

En public, vis-à-vis de ses admirateurs, elle les interpelle, elle leur chante des morceaux de ses chansons les plus connues, elle les invite à chanter avec elle, elle leur distribue des photos d'elle, elle leur signe des autographes.

28. LES PRONOMS COMPLÉMENTS. Exercices p. 129.

1 **1.** … je vous l'envoie … **2.** … elle me les passe … **3.** … il me l'apporte … **4.** … je vous la prête … **5.** … il nous la vend … **6.** … je le lui donne … **7.** … je les lui laisse/nous les lui laissons … **8.** … elle lui en donne … **9.** … elle les leur présente … **10.** … je leur en donne/ nous leur en donnons …

2 **1.** Oui, il m'en offre souvent. **2.** Oui, ils m'en envoient chaque année. **3.** Oui, il lui en emprunte régulièrement. **4.** Oui, il leur en donne une dizaine.

3 **1.** – Non, je ne les leur montre pas. **2.** – Non, je ne lui en parle pas. **3.** – Non, je ne les leur laisse pas. **4.** – Non, je ne la leur prête pas. **5.** – Non, je ne leur en envoie pas. **6.** – Non, je ne m'en sers pas. **7.** – Non, je ne m'en mets pas.

28. LES PRONOMS COMPLÉMENTS. Exercices p. 130.

1 **1.** Oui, quand je la rencontre, je lui dis bonjour. **2.** Oui, quand je le vois, je lui pose des questions. **3.** Oui, quand je les quitte, je leur dis au revoir. **4.** Oui, quand je l'appelle, je lui parle en français. **5.** Oui, quand je les invite, je leur offre à boire. **6.** Oui, quand je le revois, le lui raconte mes aventures. **7.** Oui, quand ils me parlent, je leur réponds toujours. **8.** Oui, quand elle m'invite à dîner, je lui apporte des fleurs.

2
aider	expliquer les règles
encourager	donner des exercices
féliciter	distribuer des textes

3 **2.** Oui, il lui plaît beaucoup. **3.** Oui, elle lui va bien. **4.** Oui, elle leur convient. **5.** Oui, il lui ressemble beaucoup.

4 **2.** Non, il ne lui plaît pas beaucoup. **3.** Non, elle ne lui va pas. **4.** Non, elle ne leur convient pas. **5.** Non, il ne lui ressemble pas beaucoup.

28. LES PRONOMS COMPLÉMENTS. Exercices p. 131.

1 **1.** … je l'utilise souvent. **2.** … j'y vais à quatre heures. **3.** … je n'en mets pas. **4.** … ils n'y vont pas aujourd'hui. **5.** … je leur téléphone souvent. **6.** … elle ne lui va pas. **7.** … ils en parlent souvent. **8.** … je m'y intéresse.

2 **1.** … 'en … les … 'en … **2.** … les … les … les … les … j'en … **3.** … le … 'en … la …

3 **1.** – Oui, j'en fais. (**ou** – Non, je n'en fais pas). **2.** – Oui, je le lui souhaite toujours. (**ou** – Non, je ne le lui souhaite pas toujours **ou** – Non, je ne le lui souhaite jamais). **3.** – Oui, je leur parle en français. (**ou** – Non, je ne leur parle pas en français). **4.** – Oui, j'en mange souvent (**ou** – Non, je n'en mange pas souvent. **ou** – Non, je n'en mange jamais). **5.** – Oui, je m'y intéresse. (**ou** – Non, je m'y intéresse pas). **6.** – Oui, j'y crois. (**ou** – Non, je n'y crois pas).

29. LES PRONOMS TONIQUES. Exercices p. 133.

1 **2.** … ce n'est pas moi. **3.** … c'est elle. **4.** … ce n'est pas lui. **5.** … ce sont eux.

2 **1.** Lui aussi. – Elle aussi. – Eux aussi. **2.** Lui non plus. – Eux non plus. – Elles non plus.

3 **2.** – Ah bon, vous déjeunez avec lui ! **3.** – Ah bon, vous habitez chez eux ! **4.** – Ah bon, vous sortez avec lui ! **5.** – Ah bon, vous partez en vacances sans eux !

4 **2.** … lui, il habite … **3.** … moi, je vais … **4.** … elle, elle arrive … **5.** … lui, il travaille … **6.** … eux, ils aiment …

5 **1.** … lui … **2.** … eux … **3.** … moi … **4.** … lui … **5.** … soi …

6 **Exemple :** Mon ami aime la voile, mais moi, j'aime le surf. Il a trois semaines de vacances par an, mais moi, j'ai cinq semaines de vacances. Il aime partir en vacances pour des séjours courts et répétés, moi, je préfère partir pour plus longtemps. Je voudrais avoir un chat, lui, il voudrait avoir un hamster. À part ça, on s'entend bien !

30. L'IMPÉRATIF. Exercices p. 135.

1
Mangez des fruits !	Ne mangez pas de viande !
Respirez !	Ne fumez pas !
Faites du sport !	Ne prenez pas de poids !
Soyez positif !	Ne soyez pas négatif !
Ayez confiance !	N'ayez pas peur !

2
Mange des fruits !	Ne mange pas de viande !
Respire !	Ne fume pas !
Fais du sport !	Ne prends pas de poids !
Sois positif !	Ne sois pas négatif !
Aie confiance !	N'aie pas peur !

(3) **2.** Donne-lui un classeur. **3.** Donne-lui un stylo. **4.** Donne-leur un livre. **5.** Donne-moi une feuille.

(4) **1.** Concentre-toi. / Concentrez-vous. **2.** Dépêche-toi. / Dépêchez-vous. **3.** Détends-toi. / Détendez-vous. **4.** Ne te décourage pas. / Ne vous découragez pas.

(5) **1.** N'y va pas ! / Mais si, vas-y ! **2.** N'en prends pas ! / Mais si, prends-en ! **3.** Ne leur écris pas ! / Mais si, écris-leur ! **4.** Ne les invite pas ! / Mais si, invite-les !

Autres exemples :

– Je n'ai pas envie de faire cet exercice. – Ne le fais pas ! / Mais si, fais-le !
– Je n'ai pas envie de boire de vin. – N'en bois pas ! / Mais si, bois-en !

(6) **Exemple :** Prenez le ballon. Lancez le ballon de votre main droite à votre main gauche. Puis faites l'inverse. Faites cela dix fois. – Posez le ballon. Mettez-vous sur la pointe des pieds et sautez vingt fois. Souriez ! – Remettez les pieds à plat. Levez les bras au-dessus de la tête. Étirez-vous des pieds jusqu'aux mains. Touchez le plafond mentalement. – Redescendez les mains. Allongez-vous paumes des mains vers le plafond. Reposez-vous. Respirez tranquillement.

31. LE CONDITIONNEL (1). Exercices p. 137.

(1) **1.** – Je voudrais un sucre. (**ou** Je voudrais deux sucres). **2.** – Je voudrais une brioche. (**ou** Je voudrais un croissant). **3.** – Je voudrais faire une pause (**ou** Je voudrais continuer). **4.** – Je voudrais sortir (**ou** Je voudrais rester ici). **5.** – Je voudrais écouter un CD (**ou** Je voudrais voir une vidéo).

(2) Est-ce que je pourrais avoir un peu de pain ? – Est-ce que je pourrais avoir des haricots à la place des frites ? – Est-ce que je pourrais avoir une carafe d'eau ? – Est-ce que je pourrais avoir le café avec le dessert ?

(3) **Réponses possibles :** ... 9 heures par nuit. – Vous devriez boire beaucoup d'eau. À votre place, je boirais un litre par jour. – Vous devriez prendre un mois de vacances. À votre place, je partirais tout de suite. – Vous devriez faire quinze minutes de gymnastique par jour. À votre place, je ferais de la gym tous les matins. – Vous devriez faire de la marche à pied. À votre place, je ferais des randonnées en montagne avec un club de marche. – Vous devriez manger des légumes verts. À votre place, j'achèterais des légumes frais au marché deux fois par semaine.

(4) J'aimerais avoir ... – J'aimerais faire ... – J'aimerais être ...

(5) **Réponses possibles :** Je prendrais bien un thé. – Je mangerais bien une orange. – J'irais bien au restaurant.

(6) **Réponses possibles : 1.** ... prendrais bien ... **2.** ... devrais ... **3.** ... pourrais ... **4.** ... voudrais bien ... **5.** ... 'aimerais bien ...

BILAN n° 3 p. 138.

1 ... boit ... prennent ... mettent ...
... sort ... partent ... vont ... va ... prend ... met ...
... font ... jouent ... font ... mettent ... lisent ... jouent ... prennent ... mettent ... vont ... dorment ...
... sont ... vont ... font ... ont ... font ... vont ...

2 ... l'... lui ... lui ... en ... n'en ... n'en ... y ... lui ... nous le ... y ... te le ... ne le ... moi ...
y en a ... le ... le ... 'en ... me les ... m'... la ... lui ... m'en ... y ... lui en ... en ...

BILAN n° 4 p. 139.

1 **1.** ... mets (**ou** 'ai) ... prends (**ou** 'ai) ... il fait ... **2.** ... écoute ... lit ... regarde ...
3. ... prenez ... du ... du ... **4.** ... sais ... connais ... son ... **5.** Le ... fais ... le ... vais...
6. ... y ... depuis ... en ai ... **7.** ... faisons ... du ... au ... **8.** ... d' ... de ... écrit ... **9.** ... la
... y ... avons le temps (**ou** le pouvons). **10.** ... met ... en ... mettent ... en ... **11.** ... 'ai ...
à la ... prends ... 'en prends ... **12.** ... il fait ... prenez ... mettez ... **13.** ... à ... vaut ... lui
... lui ... **14.** ... en a ... lui en ... chez ... **15.** ... à ... leur ... de la ... du ...

32. LES RELATIFS. Exercices p. 141.

1 ... qui est ennuyeux ... qui sont froides ... qui est chaud ... qui joue mal.

... que je lis est ennuyeux. – Les frites que je mange sont froides. – Le Coca que je bois est chaud. – Le musicien que j'écoute joue mal.

2 **2.** ... qui joue au cow-boy ... qui porte des bottes rouges ... **3.** ... qui pousse dans la cour ... qui a des fleurs blanches ... **4.** ... qui est en pierre ... qui a des volets bleus ...

3 **1.** ... qui ... **2.** ... que ... **3.** ... qui ... **4.** ... qui ... **5.** ... que ...

4 ... où ... qui ... où ... que ... qui ...

5 **2.** ... le mois où ... **3.** ... l'année où ... **4.** ...au moment où ...

6 **Exemples :** C'est l'heure où on va à la cantine. – C'est le jour où tout le monde se repose. – C'est la saison où la plupart des Français prennent leurs vacances.

32. LES RELATIFS. Exercices p. 143.

1 2. ... c'est un problème dont je parle parfois. **3.** ... c'est un service dont je suis responsable. **4.** ... c'est une machine dont je me sers. **5.** ... c'est un document dont j'ai besoin.

2 ... qu'ils aiment le plus ? – ... dont ils se servent le plus ? – ... qu'ils détestent le plus ? – ... qu'ils apprécient le plus ?

3 2. C'est nous qui choisissons le vin. **3.** C'est toi qui t'occupes de la vidéo. **4.** C'est moi qui suis le DJ ce soir.

4 2. Non, c'est Max que j'attends. **3.** Non, c'est la ligne 6 que je prends. **4.** Non, c'est après-demain que je pars.

5 ... ce que ... – ... ce qui ... – ... ce qui ... – ... ce dont ...

6 Ce que ... c'est ... – Ce qui ... c'est ... – Ce que ... ce sont ... – Ce que ... c'est ...

7 **Exemples :** ... dont il/elle parle, la façon dont il/elle rit, la façon dont il/elle danse, la manière dont il/elle s'exprime, la manière dont il/elle réagit quand on lui pose une question imprévue, la façon dont il/elle me regarde.

8 **Exemples :** Ce qui me choque, c'est le travail des enfants. Ce qui me touche profondément, c'est l'injustice. Ce qui m'émeut particulièrement, c'est l'innocence. Ce qui m'amuse beaucoup, c'est l'humour anglais. Ce qui m'est insupportable, c'est la bêtise. Ce que j'aime par-dessus tout, c'est la nature. Ce que je crains par-dessus tout, c'est le fanatisme. Ce que j'aime particulièrement, c'est la musique de Beethoven. Ce que je crains, c'est une troisième guerre mondiale. Ce dont j'ai peur de manière irraisonnée, ce sont les araignées ! Ce que je crains, c'est la fin du monde !

32. LES RELATIFS. Exercices p. 145.

1 ... laquelle ... lesquels ... lesquels ... lequel ... laquelle ...

2 1. – Oui, la table sur laquelle je travaille est en verre. **2.** – Oui, le stylo avec lequel j'écris est rechargeable. **3.** – Oui, les étudiants avec lesquels je travaille sont anglais. **4.** – Oui, le groupe auquel j'appartiens est sympathique. **5.** – Oui, les cours auxquels j'assiste sont intéressants.

3 ... avec lesquels (**ou** avec qui) ... dans laquelle ... avec lesquels (**ou** avec qui) ... auquel ...

4 2. ... dans lequel ... **3.** ... auxquels ... **4.** ... auxquels ... **5.** ... avec lesquels ... **6.** ... duquel ... duquel ...

5 **Exemples :** La salle dans laquelle nous travaillons est très sombre. La chaise sur laquelle je suis assis n'est pas très confortable ; elle est en fer. Le professeur avec qui nous avons cours le vendredi est un grand homme blond très sympathique. Le bureau dans lequel je range mes papiers est fermé à clé.

32. LES RELATIFS. Exercices p. 146.

1 **1.** ... qui ... **2.** ... qu e ... **3.** ... que ... **4.** ... qui ... **5.** ... que ... **6.** ... qui ... **7.** ... qui ... **8.** ... que ... **9.** ... qui ... qui ... **10.** ... qu'

2 ... qui ... dont ... que ... que ... où ... où ...

... qui ... dont ... qui ... qui ... qu'où ...

3 **1.** ... que .... **2.** ... où ... **3.** ... dont ... **4.** ... dont ... **5.** ... que ... **6.** ... où ... **7.** ... où ... **8.** ... dont ... **9.** ... où ... **10.** ... dont ... **11.** ... dont ...

4 **1.** ... qui ... Le kangourou. **2.** ... dont ... Un tire-bouchon. **3.** ... où ... L'automne. **4.** ... que ... Une torche dans la main droite et une tablette avec la date de l'indépendance américaine. **5.** ... où ... Le Louvre.

Exemples : Quel est l'insecte qui produit du miel ? Quel est l'aliment qu'on donne aux bébés ? Quel est le fruit dont on tire du vin ? Quel est le jour où on célèbre la Saint-Valentin ?

32. LES RELATIFS. Exercices p. 147.

1 **1.** ... ce que .... **2.** ... ce qui ... ce qui ... **3.** ... ce dont ... **4.** ... ce qui ... ce qui ... **5.** ... ce qu'... ce qu'... **6.** ... ce qu' ... ce dont ... **7.** ... ce qui ... **8.** Ce que ... **9.** ... ce que ... ce dont ... **10.** Ce qui ...

2 ... ce que ... ce qu'... ce qu'... ce dont ... ce qu'... ce qu'... ce qui ... ce que ... ce que ... ce qui ...

3 **1.** ... à laquelle .... **2.** ... ce que ... **3.** ... où ... **4.** ... auxquels ... **5.** ... dont ... **6.** ... à laquelle ... **7.** ... dont ... **8.** ... à laquelle ... **9.** Ce qui ... **10.** ... duquel ...

4 **Exemples :**
L'ordinateur dont je me sers n'est pas le mien.
La réunion à laquelle nous avons participé a été très instructive.
Le lit dans lequel je dors est un peu trop dur ; j'ai mal au dos !
Nous mangeons régulièrement dans un restaurant qui fait d'excellentes gambas grillées.
Les personnes avec qui je voyage n'ont pas les mêmes goûts que moi !

33. L'INTERROGATION (2). Exercices p. 149.

1 **1.** Mais alors, où travaillez-vous ? **2.** Mais alors, quand partez-vous ? **3.** Mais alors, où allez-vous ? **4.** Mais alors, comment partez-vous ? **5.** Mais alors, quand rentrez-vous ?

2 **2.** – Où habite-t-il ? – Où est-ce qu'il habite ? – Il habite où ? **3.** – Quand arrive-t-il ? – Quand est-ce qu'il arrive ? – Il arrive quand ? **4.** – Comment voyage-t-il ? Comment est-ce qu'il voyage ? – Il voyage comment ? **5.** – Que porte-t-il ? – Qu'est-ce qu'il porte ? – Il porte quoi ?

3 **2.** Que ... **3.** ... quoi ... **4.** Que ... **5.** Qui ... **6.** Qui ...

4   **1.** Comment … **2.** Que … **3.** Où … **4.** Combien … **5.** Quand … **6.** Qui …

5   **1.** Qui est-ce qui … **2.** Qu'est-ce qui … **3.** Qu'est-ce qui… **4.** Qui est-ce qui … **5.** Qui est-ce qui …

6   Le ciel. – L'homme. – Le métro.
Autres exemples :
Qu'est-ce qui tisse des toiles et qui pique parfois ? – L'araignée.
Qui est-ce qui passe chez vous tous les jours et qui apporte vos lettres et des prospectus publicitaires dans votre boîte aux lettres ? – Le facteur.

33. L'INTERROGATION (2). Exercices p. 151.

1   **1.** … quel … quelle … **2.** Quelle … quel … quelles … **3.** Quelle … quel … Quel … **4.** Quels … quelle … **5.** Quels … quels … quelles …

2   **2.** … laquelle ? Dijon **3.** … lesquels ? Neil Armstrong et Buzz Aldrin **4.** … lequel ? Le Maroc **5.** … laquelle ? Michèle.

3   **2.** Quelle … Il est ingénieur. **3.** Quel … Il a trente-quatre ans. **4.** Où … Il travaille à Marseille. **5.** Quelle … Il habite à Aix-en-Provence, 10, rue de la Fontaine. **6.** Qu'est-ce qu'… Il fait de l'escalade avec ses enfants.

4   **1.** Quelle … Qu'… (**ou** Qu'est-ce qu'…) **2.** Qu'est-ce qu'… (**ou** Qu'…) Quelle … Qu'est-ce qu'… (**ou** Qu'…) **3.** Quel … qu'… (**ou** Qu'est-ce qu'…) Qu'il … (**ou** Qu'est-ce qu'il…) Qu'il … (**ou** Qu'est-ce qu'il…) **4.** Qu'est-ce que … (**ou** Que …) Quel …

34. LA NÉGATION (2). Exercices p. 153.

1   **1.** … je n'ai plus ma vieille Alfa Roméo. (**ou** je ne l'ai plus.) **2.** … je n'habite plus à Vérone. **3.** … je ne vois plus William. (**ou** je ne le vois plus.) **4.** … je ne fais rien ce soir. **5.** … je n'attends personne.

2   … Il n'aime personne. Il ne sourit jamais. Il n'a pas d'amis. Il n'accepte jamais rien. Il ne croit plus au Père Noël.

3   **2.** – Non, je ne vais jamais dans des « rave-parties ». **3.** – Non, je n'habite plus chez mes parents. **4.** – Non, je ne suis plus débutant complet. **5.** – Non, je ne parle pas encore français couramment.

4   … ne prépare rien pour dîner. Personne ne me téléphone. Rien ne brûle dans la cuisine. Je ne m'énerve pas. Je ne suis pas fatiguée. Je n'ai pas mal à la tête. Je ne me couche pas tard. Personne ne me dérange. Je n'ai rien à faire (**ou** Je n'ai pas grand-chose à faire). Je n'ai pas de soucis.

5   **1.** – Oui, il y a quelqu'un devant moi. / – Non, il n'y a personne devant moi. **2.** – Oui, il y a quelqu'un dans le couloir. / – Non, il n'y a personne dans le couloir. **3.** – Oui, il y a quelque chose dans le tiroir. / – Non, il n'y a rien dans le tiroir. **4.** – Oui, il y a quelque chose sur la table. / – Non, il n'y a rien sur la table.

34. LA NÉGATION (2). Exercices p. 155.

1 **1.** – Non, je ne travaille ni le samedi ni le dimanche. **2.** – Non, je ne connais ni Simon ni Gérald Bruni. **3.** – Non, je ne ressemble ni à mon père ni à ma mère. **4.** – Non, je ne bois ni thé ni café le matin.

2 … Sans travail, pas d'argent.
Sans argent, pas de logement.
Sans logement, pas de papiers.
… ni travail, ni argent, ni logement.

3 **2.** – Oui, je ne commence qu'à onze heures. **3.** – Oui, je n'ai qu'un rendez-vous aujourd'hui. **4.** – Oui, je ne mange qu'un sandwich à midi. **5.** – Oui, je ne bois qu'un café par jour.

4 **1.** … ne … ni … ni … **2.** … n'… pas de … **3.** … ne … que … **4.** … ne … ni … ni … ne … que … **5.** … sans … ni …

35. LE DISCOURS INDIRECT au PRÉSENT. Exercices p. 157.

1 **1.** … part tout de suite et qu'il emporte les dossiers. **2.** Il lui demande si elle est libre pour le déjeuner et ce qu'elle fait dans l'après-midi. **3.** Il lui demande si elle a la liste des hôtels du quartier, où se trouve le Bristol et combien coûte une chambre double. Il lui demande de noter toutes ces informations.

2 … il a un paquet. – Il dit qu'il n'a pas le code. – Il demande si on peut ouvrir la porte. – Il dit que l'ascenseur est en panne. – Il demande si quelqu'un peut descendre.

3 … Il lui demande si elle est libre dimanche. Elle lui répond qu'elle va écouter un concert. Il lui demande où elle va. Elle lui répond qu'elle va à l'église Saint-Médard. Il lui demande si elle y va seule et il lui dit qu'il adore le piano. Elle lui demande de venir à dix heures pile.

4 **Exemple :**
• Le serveur : Installez-vous.
Le client : Avez-vous une place près de la fenêtre ?
Le serveur : Qu'est-ce que vous désirez ?
Le client : Quelque chose de léger ?
Le serveur : Alors je vous propose en plat du jour un velouté d'asperges et une sole grillée avec pommes de terre sautées et légumes variés. Cela vous va ? Sinon, vous avez le menu.
Le client : La formule du jour me paraît excellente !
• Je mange et je vois un client entrer dans le restaurant. Le serveur dit au client de s'installer. Le client demande s'il y a une place libre près de la fenêtre. Le serveur demande au client ce qu'il désire. Le client dit qu'il voudrait quelque chose de léger. Le serveur lui dit qu'il a un plat du jour avec velouté d'asperges, sole grillée, pommes de terre sautées et légumes variés. Il lui

demande si cela lui convient. Il ajoute que sinon il y a le menu. Le client dit que la formule du jour lui paraît excellente.

36. LE GÉRONDIF. Exercices p. 159.

1 **1.** Il parle en mangeant. **2.** Il étudie en écoutant du rock. **3.** Il téléphone en conduisant. **4.** Il écrit des SMS en buvant son café.

2 … lisant des romans, en parlant le plus possible, en apprenant du vocabulaire, en écoutant des chansons, en écrivant des textes.

3 Elle discute en s'énervant.
Elle dit au revoir en souriant.
Elle part en fermant la porte.
Elle s'éloigne en regardant derrière elle.

4 **2.** … en faisant … **3.** En partant … **4.** … en buvant … **5.** … en appelant … **6.** … en réservant …

5 **1.** … faisant … sachant … **2.** … étant … **3.** … ayant …

6 **Exemples :** … parcourant le journal, en buvant un jus de fruits, en regardant les voitures passer, en attendant l'ami qui n'arrive pas !

37. LES PRÉPOSITIONS et LES VERBES. Exercices p. 161.

1 **1** … à … **2.** … de … à … **3.** … de … de … **4.** … de … de … **5.** … à … à … **6.** … de … à …

2 **1.** Je suis désolé(e) d'être en retard. **2.** Je suis furieux(se) d'avoir une contravention. **3.** Je suis surpris(e) de recevoir une lettre de Berndt. **4.** Je suis heureux(se) de partir en voyage. **5.** Je suis ravi(e) d'être invité(e) chez Lucia.

3 **1.** Trouver du travail est mon objectif. J'espère trouver du travail. **2.** Vivre un an en France est mon objectif. J'espère vivre un an en France. **3.** Perfectionner mon français est mon objectif. J'espère perfectionner mon français.

4 … à (travailler) … à (8 heures) … de (travailler) … de (changer) … à (vendre) … à (servir) … de (devenir) … ✔ (trouver) … de (travailler) … de (voir) … ✔ (voir) … de (vendre) …

5 **Exemples** : Je rêve de faire le tour du monde pendant un ou deux ans. Je commence à regarder des cartes pour les itinéraires et à établir un budget. Je suis content(e) de mettre sur pied ce projet. J'espère pouvoir partir l'année prochaine.

37. LES PRÉPOSITIONS et LES VERBES. Exercices p. 162.

1 **1.** Je décide de faire des économies et d'acheter un bateau. **2.** J'espère trouver un bon travail et être vite autonome. **3.** J'ai envie d'habiter à la campagne et de faire de la poterie. **4.** J'ai peur de vieillir et d'être seul.

2 … à (me détendre) … à (avoir) … de (rester) … de (changer) … de (travailler) … de (m'intéresser) … à (d'autres) … de la (musique) … de la (guitare) … à (faire) … à (mes amis) … à (dîner) … à (prendre) … à (être) … ✔ (continuer) …

3 **1.** Il arrête de faire du judo. **2.** Il finit d'écrire ses devoirs. **3.** Il continue à suivre ses cours de russe. **4.** Il essaye de se servir du nouvel ordinateur. **5.** Il aime écouter du jazz.

37. LES PRÉPOSITIONS et LES VERBES. Exercices p. 163.

1 … de (mon stage) … à (taper) … à (mon professeur) … de (me donner) … à (travailler) … à (comprendre) … ✔ (apprendre) … de (regarder) … à (travailler) … de (porter) …

2 … de (voir) … à (prendre) … à (avoir) … ✔ (t'acheter) … ✔ (trouver) … de (tout) … ✔ (voir) … de (l'appeler) … d'(avoir) …

3 … de (leur emploi) … ✔ (changer) … de (cadre) … de (trouver) … à (tout) … de (bouleverser) … de (partir) … de (perdre) … de (devenir) … à (être) … au (Québec) … en (Amérique) … aux (États-Unis) … en (Australie) … de (créer) … de (trouver) …

4 … rêver de, hésiter à, choisir de, décider de, avoir peur de, continuer à, essayer de.

38. LES VERBES de DÉPLACEMENT. Exercices p. 165.

1 … viennent … retournent … vont … rentrer …

2 … viens … vas … vais … vont … vais … reviens … allons … vais …

3 **1.** … allons … venir … **2.** … vont … retournent … **3.** … revenir … **4.** … retourner … **5.** … vais … reviens. **6.** … retourner … **7.** … rentrer … **8.** … rentrent …

4 **1.** … voir … **2.** … visiter … **3.** … visiter … **4.** … voir … **5.** … visiter … **6.** … voir …

5 **Exemples :** Lundi, je visite le musée du Louvre. Mardi, je vais voir Juliette. Mercredi, je vais voir tante Mimi. Jeudi, je retourne au musée du Louvre. Vendredi, je visite le musée d'Orsay. Samedi, je visite la cathédrale de Chartres. Et dimanche, je rentre chez moi et je vais voir ma grand-mère.

39. LE FUTUR PROCHE. Exercices p. 167.

1 **1.** Ce soir, je vais partir … **2.** Ce soir, je vais regarder … **3.** Ce soir, je vais dîner … **4.** Ce soir, je vais manger … **5.** Ce soir, je vais boire …

2 **1.** L'année prochaine, nous allons passer nos vacances … **2.** La semaine prochaine, ils vont visiter … **3.** Demain, il va ranger … **4.** Le mois prochain, je vais aller … **5.** La semaine prochaine, il va faire …

3 **2.** … va pleuvoir. **3.** … vont fermer. **4.** … va commencer. **5.** … allons décoller. **6.** … vas tomber. **7.** … va brûler. **8.** … vas grossir.

4 **Exemples** :
Cet après-midi, je vais rentrer chez moi vers cinq heures. À la maison, je vais travailler un moment sur mon ordinateur. Je vais ressortir faire les courses. Je vais préparer à manger et je vais manger vers 19 heures. Je vais regarder la télé. Je vais lire un peu et puis je vais aller me coucher vers minuit.

39. LE FUTUR PROCHE. Exercices p. 168.

1 … À treize heures, il va déjeuner avec M. Reiser à La Bonne Assiette. Il va discuter avec lui du dossier Samson's. À quinze heures, son avion va partir de l'aéroport de Roissy. Il va arriver à Londres à seize heures quarante-cinq.
Mardi matin, de huit heures trente à treize heures, M. Blanchot va visiter l'usine Samson's et il va passer à la banque Piksow. Ensuite, il va déjeuner à treize heures avec M. Shark. Ensemble, ils vont signer de nouveaux contrats. De dix-sept à vingt heures, il va étudier le dossier Europa. À vingt heures, il va dîner avec Mme Rover.
Mercredi matin, il va prendre un taxi à sept heures ; son avion va partir pour Paris à huit heures quinze.

2 **Exemples** : Mardi, je vais rencontrer nos plus proches collaborateurs et je vais déjeuner avec M. Blanchot ; on va signer de nouveaux contrats. Mercredi après-midi, je vais participer à une réunion avec mon équipe. Jeudi, je vais contacter nos clients. Vendredi, je vais rester chez moi : j'ai un jour de congé.

39. LE FUTUR PROCHE. Exercices p. 169.

1 **1.** … va économiser de l'argent parce qu'il va partir six mois en Chine. **2.** … vont faire beaucoup d'exercices parce qu'ils vont passer un examen. **3.** … va prendre un congé sabbatique parce qu'il va écrire un livre. **4.** … vont déménager parce qu'ils vont avoir un troisième enfant.

2 **2.** … va pleuvoir … **3.** … vont avoir mal au ventre … **4.** … va avoir un bébé … **5.** … va rentrer à l'école … **5.** … allons rater le dernier métro …

3 **Réponses possibles : 1.** … va aller au bowling. **2.** … va boire une tisane. **3.** … vont partir en juillet. **4.** … vont partir en Espagne. **5.** … allons manger du poisson.

(4) **Exemples** : Ce soir, je vais manger une soupe de potimarron et des pâtes. Je vais dîner vers 7 heures et demie. – Demain, je vais mettre un pantalon et un pull chaud parce qu'il va faire plus froid qu'aujourd'hui, d'après la météo. – Samedi prochain je vais aller en discothèque. Je vais sortir avec mes amis du lycée.

39. LE FUTUR PROCHE. Exercices p. 171.

(1) **1.** Oui, je vais le regarder. **2.** Oui, je vais les arroser. **3.** Oui, je vais les ranger. **4.** Oui, je vais lui écrire. **5.** Oui, je vais leur téléphoner.

(2) **2.** Non, elle va y aller à pied. **3.** Non, elle va leur téléphoner le matin. **4.** Non, elle va y aller avec Rachel. **5.** Elle va les rencontrer vers 15 heures. **6.** Elle va en acheter deux. **7.** Non, elle va lui téléphoner après le dîner. **8.** Non, elle va se coucher tôt.

(3) **Exemples :** … L'après-midi du 16 août, il va y avoir un concours de boules. Le 17 août, il va y avoir un spectacle de variétés. Le 18 août, il va y avoir un dîner champêtre. Le 19 août, il va y avoir un spectacle de magie. Le 20 août, il va y avoir un feu d'artifice. Tous les jours il va y avoir un orchestre pour mettre de l'animation.

(4) **2.** … va mal finir. **3.** … vais bien dormir (**ou** je vais beaucoup dormir). **4.** … allons conduire lentement. **5.** … va beaucoup pleuvoir.

39. LE FUTUR PROCHE. Exercices p. 173.

(1) Je ne vais pas crier. Je ne vais pas tomber malade. Je ne vais pas craquer. Je ne vais pas tout casser.

(2) **2.** – Est-ce que vous allez partir en train ? – Non, je ne vais pas partir en train … **3.** – Est-ce que vous allez passer par les Alpes ? – Non, je ne vais pas passer par les Alpes … **4.** – Est-ce que vous allez dormir à Nice ? – Non, je ne vais pas dormir à Nice … **5.** – Est-ce que vous allez rentrer en août ? – Non, je ne vais pas rentrer en août …

(3) **2.** … va te mordre … ne va pas me mordre. **3.** … vont les abîmer … ne vont pas les abîmer. **4.** … vas la perdre … ne vais pas la perdre. **5.** … vont te punir … ne vont pas me punir.

(4) **1.** – Non, je ne vais pas le repeindre. **2.** – Non, je ne pense pas le regarder. **3.** – Non, je ne vais pas lui téléphoner. **4.** – Non, je ne vais pas les inviter. **5.** – Non, je ne veux pas les refaire.

40. LE PASSÉ COMPOSÉ. Exercices p. 175.

(1) **1.** D'habitude, je mange de la viande à midi, mais hier, j'ai mangé du poisson. **2.** En général, je dîne chez moi, mais hier, j'ai dîné au restaurant. **3.** D'habitude, je travaille sept heures par jour, mais hier, j'ai travaillé huit heures. **4.** En général, je commence à 8 heures, mais hier, j'ai commencé à 9 heures. **5.** D'habitude, je termine à 6 heures, mais hier, j'ai terminé à 7 heures.

(2) – Oui, j'ai emmené mes enfants. – Oui, j'ai (**ou** nous avons) visité l'Andalousie. – Oui, j'ai (**ou** nous avons) écouté du flamenco. – Oui, j'ai (**ou** nous avons) filmé une corrida. – Oui, j'ai (**ou** nous avons) mangé des « tapas ». – Oui, j'ai (**ou** nous avons) rapporté des souvenirs.

(3) … j'ai signé … j'ai refusé … j'ai démissionné.

(4) **Exemple :** … j'ai acheté des légumes, j'ai payé en espèces, j'ai préparé le repas rapidement, j'ai dîné très vite, j'ai lavé la vaisselle et puis j'ai donné rendez-vous à Pierre dans un bar près de la gare et on a discuté toute la soirée.

40. LE PASSÉ COMPOSÉ. Exercices p. 176.

(1) **1.** Hier soir, un journaliste a interviewé le président de la République. **2.** L'année dernière, la consommation d'énergie a augmenté. **3.** La semaine dernière, « L'Express » a publié un reportage intéressant. **4.** Mardi dernier, nous avons mangé du poisson frais. **5.** Le mois dernier, mon mari a arrêté de fumer (pendant deux jours…). **6.** L'année dernière, j'ai joué au casino et j'ai gagné un peu d'argent. **7.** Hier soir, nous avons regardé le journal télévisé et nous avons parlé de politique. **8.** Mercredi dernier, Daniel et Mina ont préparé un plat exotique et ont invité des amis.

(2) **2.** … avez mangé … **3.** … j'ai payé … **4.** … ont visité … **5.** … a gagné … **6.** … as regardé … **7.** … avons joué … **8.** … a écouté … **9.** …j'ai invité … **10.** … as acheté …

(3) **Exemples** : Hier matin, j'ai commencé mon travail à 8 heures et j'ai terminé à midi. – Hier après-midi, j'ai acheté un manteau et j'ai payé par carte bancaire. – Hier, j'ai déjeuné à deux heures et j'ai dîné à neuf heures. – La semaine dernière, j'ai joué au tac au tac et j'ai gagné dix euros ! – Ce matin, j'ai rencontré une amie du lycée et j'ai parlé avec elle pendant deux heures ! – J'ai invité mon professeur et on a parlé de sa vie personnelle. – J'ai écouté plusieurs morceaux de musique et j'ai téléchargé les morceaux que je préfère.

40. LE PASSÉ COMPOSÉ. Exercices p. 177.

(1) … a embrassé sa femme et il a accompagné ses enfants à l'école. À 8 h 30, il a retiré un sac du pressing. Il a payé en liquide. À 9 h, il a acheté *Le Figaro* à la papeterie. Il a bavardé avec Mme Rollin, la vendeuse. Ils ont parlé du temps. Quand Mme Rollin a parlé de la crise économique, M. Pascal a eu l'air bizarre. Il a quitté le magasin et il a traversé la rue sans regarder.

(2) **Réponses possibles : 1.** Demain, je vais inviter Paul. Hier, j'ai invité Marc et Sophie. **2.** Demain soir, nous allons regarder un film. Hier soir, nous avons regardé un match de foot. **3.** L'année prochaine, il va visiter le Pays de Galles. L'année dernière, il a visité l'Irlande.

4. La semaine prochaine, je vais garder les enfants de mon fils. La semaine dernière, j'ai gardé mon petit-neveu. **5.** Le mois prochain, vous allez travailler avec des étudiants allemands. Le mois dernier, vous avez travaillé avec des étudiants italiens.

3 **Réponses possibles** : Hier, j'ai invité des voisins ; demain, je vais inviter des collègues. – Hier, j'ai visité des églises ; demain, je vais visiter un musée. – Hier, j'ai regardé un film policier ; demain, je vais regarder un film de science-fiction. – Ce matin, j'ai écouté un disque de musique classique ; cet après-midi, je vais écouter un disque de jazz. – Hier, j'ai rangé la cave ; demain, je vais ranger le grenier. – Hier, j'ai travaillé toute la journée ; demain, je vais travailler le matin seulement.

40. LE PASSÉ COMPOSÉ. Exercices p. 179.

1 **1.** Georges a acheté le journal et il a pris l'autobus. **2.** Maria a mis un imperméable et elle a pris un parapluie. **3.** Nous avons bu un café et nous avons mangé un croissant. **4.** Vous avez lu le journal et vous avez vu une annonce intéressante. **5.** Julie a écrit à sa mère et elle a posté la lettre. **6.** Tu as fini ton travail et tu as écrit à tes amis. **7.** Nous avons perdu nos clés et nous avons dû appeler les pompiers. **8.** Il y a eu une grève des transports et j'ai dû rentrer à pied.

2 **1.** ... j'ai reçu ... **2.** ... j'ai bu ... **3.** ... j'ai lu ... **4.** ... j'ai attendu ... **5.** ... j'ai perdu ...

3 ... et j'ai eu un choc. J'ai bu de l'alcool et j'ai eu mal à la tête. J'ai pris ma voiture et j'ai conduit dans la nuit. J'ai brûlé un feu rouge et j'ai été arrêté par la police. J'ai plu au gendarme et j'ai payé une légère amende.

40. LE PASSÉ COMPOSÉ. Exercices p. 180.

1 **2.** ... a grandi ... **3.** ... a traduit ... **4.** ... a découvert ... **5.** ...j'ai choisi ... **6.** ... a plu ...

2 Deux jeunes gens ont voulu partir faire des fouilles archéologiques dans le désert. Ils ont dû faire une demande spéciale. Finalement, ils ont pu partir grâce à un ami de leurs parents. Ils ont cru être assez résistants pour travailler un mois. En fait, il a fallu les rapatrier au bout d'une semaine.

3 J'ai vu le temps par la fenêtre (un ciel gris vraiment morose). J'ai eu du mal à me lever (à cause de mon arthrose). J'ai entendu le chien aboyer (pour réclamer son « Dogdose »). J'ai reçu un peu de courrier (mais pas de lettre de Rose). J'ai lu le programme télé (comme toujours, pas grand-chose). J'ai bu un peu de rosé et j'ai vu des éléphants roses !

4 Le chevalier a ouvert le coffre. Il a découvert un manteau brodé d'or. Il a offert le manteau à la reine. Il lui a couvert tendrement les épaules. Il a souffert en silence, il a ouvert la porte et il a disparu.

40. LE PASSÉ COMPOSÉ. Exercices p. 181.

1 … j'ai pris … j'ai pris … j'ai acheté … J'ai bu … j'ai mangé … J'ai mis … j'ai dépensé … j'ai vu … j'ai pris … J'ai payé … j'ai passé …

2 … j'ai réussi avec mention.
J'ai pris le métro et j'ai revu un vieil ami.
J'ai vécu en Norvège et j'ai découvert des endroits magiques.
J'ai conduit dans la nuit et j'ai mis de la musique.
J'ai suivi un régime et j'ai perdu dix kilos.
J'ai mangé des huîtres et j'ai été malade.

3 **2.** Trente-deux pour cent des Français ont participé à une manifestation de rue au moins une fois dans leur vie. **3.** Trente pour cent des Français ont pris des médicaments pour dormir au moins une fois dans leur vie. **4.** Vingt et un pour cent des Français ont gagné à un jeu national (à la loterie ou au tac-o-tac par exemple) au moins une fois dans leur vie. **5.** Dix-huit pour cent des Français ont fait une dépression nerveuse au moins une fois dans leur vie. **6.** Quinze pour cent des Français ont consulté une voyante au moins une fois dans leur vie. **7.** Treize pour cent des Français ont fait un chèque sans provision au moins une fois dans leur vie. **8.** Trois pour cent des Français ont chanté dans un karaoké.

4 **Exemples** : J'ai mangé du caviar. J'ai participé à une manifestation de rue. J'ai consulté une voyante.

40. LE PASSÉ COMPOSÉ. Exercices p. 183.

1 **1.** Oui, la première fois, je suis venu(e) en taxi. **2.** Oui, hier soir, je suis allé(e) à l'hôtel à pied. **3.** Oui, je suis passé(e) par le centre ville. **4.** Oui, je suis arrivé(e) avant six heures. **5.** Oui, je suis ressorti(e) plus tard.

2 **Réponses possibles : 1.** … est parti à 16 heures. **2.** … sont descendus à pied. **3.** … sont sortis à midi. **4.** … sont allés au restaurant. **5.** … est mort en 1963.

3 Un bébé est né dans une maternité.
Une cigogne est passée dans le ciel gris.
Jean est arrivé des États-Unis.
Des enfants sont allés au bord de la mer.
Deux voleurs sont entrés dans un appartement.
Un homme d'État est mort dans son lit.
Un grand écrivain est rentré dans son pays.
Jean est monté dans un taxi.
Une femme est sortie sous la pluie.
Un homme est tombé amoureux.
Jean est rentré chez lui.

4   **Exemple** :

… est descendu à la cave, puis il est allé dans la cour, il est monté sur le toit et il est passé par la fenêtre.

40. LE PASSÉ COMPOSÉ. Exercices p. 184.

1   … est resté … est mort … est devenu … est … intervenu … sont morts … sont devenus … sont restés … sont sortis … sont venus … sont allés … est né … sommes allés … sont montés … sont redescendus … est … sorti … est allé …

2   Je suis parti(e) de Paris le samedi à 11 heures et je suis arrivé(e) à Rome vers 13 heures. Je suis passé(e) à l'hôtel Arenula pour laisser mes bagages et je suis allé(e) au Capitole. Je suis resté(e) sur les escaliers de la place Michel-Ange jusqu'à 16 heures. Ensuite, je suis allé(e) sur l'île Tibérine : je suis passé(e) par le « ghetto », puis je suis monté(e) sur le Janicule pour voir le coucher de soleil. Le soir, je suis retourné(e) à l'hôtel pour me changer, puis suis sorti(e) pour aller dîner dans le quartier du Panthéon. Ensuite, je suis allé(e) manger une glace sur la place Navona. Je suis rentré(e) à l'hôtel vers minuit. Le dimanche, je suis resté(e) toute la journée au soleil à la Villa Borghese. Je suis rentré(e) à pied à l'hôtel. Je suis parti(e) de Rome à 18 heures et je suis arrivé(e) à Paris à 20 heures.

40. LE PASSÉ COMPOSÉ. Exercices p. 185.

1   **Réponses possibles : 1.** … nous sommes arrivé(e)s à dix heures et demie. **2.** … nous sommes rentré(e)s en bus. **3.** … nous sommes sorti(e)s à trois heures. **4.** … nous sommes resté(e)s jusqu'à huit heures. **5.** … nous sommes allé(e)s à la mer.

2   … sommes venus … sommes allés … sommes montés … sommes allés … sommes allés … sommes sortis … sommes restés …

1. Ils sont venus à Paris en 1975 pour la première fois. **2.** Non, ils sont venus pour leur voyage de noces. **3.** Non, ils sont allés dans un très bel hôtel, près de la place des Vosges. **4.** Le premier jour, ils sont montés sur la tour Eiffel. **5.** Oui, ils sont sortis tous les soirs. **6.** Non, ils ne sont pas sortis les deux derniers jours.

3   **Exemple** : Pendant mes dernières vacances, je suis allé(e) en Grèce en avion. Je suis resté(e) deux jours à Athènes ; je suis monté(e) sur l'Acropole et sur le Lycabette. Après, je suis allé(e) dans un petit hôtel au bord de la mer près du Cap Sounion et j'y suis resté(e) une semaine pour me reposer. Pendant la dernière semaine de mon séjour, je suis allé(e) dans plusieurs îles des Cyclades, puis je suis retourné(e) prendre l'avion à Athènes. Je suis rentré(e) à Paris très bronzé(e) !

40. LE PASSÉ COMPOSÉ. Exercices p. 187.

1 **1.** Oui, je me suis couché(e) tard hier soir. **2.** Oui, je me suis reposé(e) dimanche dernier. **3.** Oui, je me suis promené(e) dans les rues. **4.** Oui, je me suis assis(e) dans les jardins. **5.** Oui, je me suis arrêté(e) devant les vitrines.

2 **1.** … s'est bien amusée, elle aussi. **2.** … s'est ennuyée, elle aussi. **3.** … me suis dépêché, moi aussi. **4.** … nous sommes couchés tard, nous aussi.

3 **1.** – Nous nous sommes rencontrés sur la plage de Saint-Tropez, en hiver. **2.** – Nous nous sommes mariés à l'église de la Madeleine, au printemps. **3.** – Nous nous sommes connus en 1981, au concert des Clash. **4.** – Nous nous sommes revus au concert des Rita Mitsuko, en 2007.

4 **Exemple :** … douché(e), je me suis essuyé(e), je me suis lavé les dents, je me suis habillé(e), je me suis coiffé(e).

5 **Exemple :** … disputés, ils se sont insultés, ils se sont battus, ils se sont réconciliés, ils se sont serré la main, ils se sont promis d'oublier l'incident et de rester bons amis.

40. LE PASSÉ COMPOSÉ. Exercices p. 188.

1 … a (monté) … s'est (arrêtée) … a (sorti) … est (tombée) … a (ramassé) … a (regardé) … a (souri) … ont (commencé) … ont (passé) … a (tout oublié) … s'est (souvenue) …

2 … d'une voiture blanche. Ils sont entrés dans l'immeuble d'en face. Ils sont montés au cinquième en ascenseur. Ils sont allés quelques minutes dans le salon. Ensuite, ils sont allés dans la cuisine. L'homme s'est lavé les mains, mais aïe, aïe, aïe ! il s'est trompé de robinet. Il s'est brûlé. Il s'est mis en colère. La femme s'est précipitée, sa robe s'est accrochée à la table. La table s'est renversée. Les verres et les assiettes sont tombés par terre et se sont cassés. L'homme s'est fâché. La femme s'est mise à pleurer. Ils se sont disputés. Ils se sont battus. Alors, furieux, l'homme est parti dans sa chambre. Il s'est enfermé. Il s'est déshabillé. Il s'est mis au lit. La femme est restée longtemps à la fenêtre. Puis elle est sortie. Elle est descendue au quatrième. Elle s'est arrêtée devant une porte. Elle est entrée. Elle s'est jetée dans les bras d'une femme plus âgée. Plus tard, elle s'est couchée sur le divan du salon et elle s'est endormie. Le matin, elle est sortie, elle est allée au café du coin. Son mari et elle se sont rencontrés dans la rue. Ils se sont regardés et ils se sont embrassés.

3 **1.** Il est descendu à pied. **2.** Il a passé une mauvaise nuit. **3.** Elle a descendu la rue. **4.** Elle est passée devant le bar. **5.** Ils sont rentrés chez eux. **6.** Ils se sont recouchés.

40. LE PASSÉ COMPOSÉ. Exercices p. 189.

1 **1.** … a sorti … est sorti … **2.** … êtes monté … avons monté … **3.** … est passée … a passé …

2 ... ont ... sont ... ont ... sont ... est ... a ... a ... sont ... sont ...

3 ... sommes (promenés) ... sommes (assis) ... avons (mangé) ... J'ai (réussi) ... sont (moqués) ... sommes (devenus) ... a (commencé) ... a (dansé) ... avons (chanté) ... sommes (amusés) ... a (bu) ... j'ai (dansé) ... avons (dû) ...

4 ... John Kennedy est devenu président des États-Unis.
En 1961, le Mur de Berlin a été construit en une nuit.
En 1962, Marilyn Monroe s'est suicidée.
En 1963, le Président Kennedy a été assassiné.
En 1966, la révolution culturelle a commencé en Chine.
En 1967, les colonels ont pris le pouvoir en Grèce.
En 1968, les étudiants ont manifesté et les ouvriers ont fait la grève.
En 1969, Neil Armstrong a marché sur la Lune !

5 **Exemples :** En 1973, le premier choc pétrolier a eu lieu. – En 1981, Mitterrand est arrivé au pouvoir. – En 1988, il a été réélu. – En 1982, on a réduit la durée hebdomadaire de travail de 40 à 39 heures. – En 1983, il y a eu un tremblement de terre en Colombie. – Le 1er janvier 1993, on a supprimé les tarifs douaniers à l'intérieur de l'Europe. – Le 1er janvier 2002, on a instauré une monnaie unique en Europe. – En l'an 2000, on a réduit la durée hebdomadaire de travail à 35 heures.

40. LE PASSÉ COMPOSÉ. Exercices p. 191.

1 ...ées ...ées ...ées ...ies ...ées

2 ...és ...és ...i ...és ...é ...és ...us ...és

3 ...ée ...é ...ée ...és ...és ...é ...és ...és ...us ...

4 **1.** ...é ...és ...és. **2.** ...é ...é ...és ...ues ...é ...ées ... **3.** ...és ...é ...és ...é ...és ...é ...és ... **4.** ...é ...és ...és ...és ...ées **5.** ...tes ...tes ...ses ...tes.

40. LE PASSÉ COMPOSÉ. Exercices p. 193.

1 – Vous êtes allé(e) en Bourgogne ? – Oui, j'y suis allé(e).
– Vous avez bu du vin rouge ? – Oui, j'en ai bu.
– Vous avez parlé aux viticulteurs ? – Oui, je leur ai parlé.
– Vous avez acheté du vin ? – Oui, j'en ai acheté.

2 **Réponses possibles : 2.** ... et je les ai invités. **3.** ... et je les ai offertes à ma mère. **4.** ... et je les ai trouvées. **5.** ... et je l'ai mise tout de suite.

3 **2.** – Oui, je les ai écrites. ... – Je les ai postées hier matin. **3.** – Oui, je leur ai parlé. ... Je les ai vus la semaine dernière.

4 **2.** ... il a beaucoup bu. **3.** ... j'ai très mal dormi. **4.** ... il a beaucoup mangé. **5.** ... il a très mal joué.

5 **2.** – Oui, elle s'est bien améliorée. **3.** – Oui, il s'est beaucoup investi. **4.** – Oui, ils ont bien réagi. **5.** – Oui, ils ont un peu augmenté.

40. LE PASSÉ COMPOSÉ. Exercices p. 195.

1 **1.** Non, je ne suis pas allé(e) à la campagne. **2.** Non, je ne suis pas monté(e) sur la tour Eiffel. **3.** Non, je n'ai pas dîné au restaurant. **4.** Non, je n'ai pas invité mes amis. **5.** Non, je n'ai pas révisé mes leçons.

2 Moi, je n'ai pas ri. – Moi, je n'ai pas pleuré. – Moi, je n'ai pas crié. – Moi, je n'ai pas applaudi.

3 Moi, je n'ai pas ri.
Moi, je n'ai pas pleuré.
Moi, je n'ai pas crié.
Moi, je n'ai pas applaudi.

4 **Questions possibles : 1.** Combien de temps y êtes-vous restés ? **2.** Où avez-vous logé ? **3.** Quelles villes avez-vous visitées ? **4.** Quand êtes-vous partis ? **5.** Combien avez-vous dépensé en tout ? **6.** Quand êtes-vous rentrés ?

5 Je n'ai rien mangé. Je n'ai rien bu. Je n'ai rencontré personne. Je n'ai rien fait de particulier le week-end dernier. Je n'ai invité personne.

40. LE PASSÉ COMPOSÉ. Exercices p. 196.

1 **1.** – Ah bon, elle ne lui a pas répondu ! **2.** – Ah bon, vous ne l'avez pas reconnue ! (**ou** – Ah bon, tu ne l'as pas reconnue !). **3.** – Ah bon, il n'en a pas acheté ! **4.** – Ah bon, ils n'y sont pas allés ! **5.** Ah bon, vous n'en avez pas mangé !

2 **2.** … les as sûrement oubliées au bureau. … j'ai dû les oublier au bureau. **3.** … l'as sûrement notée quelque part. … j'ai dû la noter quelque part. **4.** … l'a sûrement lavée à l'eau chaude. … elle a dû la laver à l'eau chaude.

3 **Réponses possibles : 1.** … hier matin, j'en ai mangé trois. **2.** … la semaine dernière, j'en ai eu cinq. **3.** … le mois dernier, j'en ai reçu dix. **4.** … hier, j'en ai bu cinq. **5.** … la semaine dernière, j'en ai eu trente-deux.

4 **2.** … tu lui as mal parlé. **3.** … elle les a mal renseignés. **4.** … il lui a beaucoup parlé. **5.** … tu en as trop mis.

40. LE PASSÉ COMPOSÉ. Exercices p. 197.

1 **1.** … a eu … est restée … **2.** … se sont perdus … ont marché … **3.** … avons mangé … avons été … **4.** … me suis trompé(e) … j'ai dû … **5.** … a dû … est sortie …

54

(2) ... sommes (promenés) ... avons (ramassé) ... sommes (rentrés) ... a (jeté) ... a (renversé) ... a (mangé) ... est (resté) ... avons (eu) ... avons (observé) ... a (aboyé) ... a (sauté) ... a (couru) ... a (monté) ... a (descendu) ... a (vécu) ...

(3) ...é ...ées ...ées ...ue ...é ...ées ...ses ...s ...é ...

(4) **2.** ... il y eu des tempêtes ? – Oui, il y en a eu deux. **3.** ... il y a eu des inondations ? – Oui, il y en a eu plusieurs.

(5) **1.** ... le bus n'est pas encore passé. **2.** ... ils ne sont pas encore arrivés. **3.** ... il ne me l'a pas encore apporté.

41. LE TEMPS (3). Exercices p. 199.

(1) **2.** ... il y a ... dans ... **3.** ... dans ... il y a ...

(2) **2.** ... depuis ... il y a ... **3.** ... il y a ... depuis ...

(3) **2.** ... en ... dans ... **3.** ... dans ... en ... **4.** ... en ... dans ...

(4) **2.** ... pendant trois ans ... en trois ans. **3.** ... pendant deux mois ... en deux mois. **4.** ... pendant douze heures ... en douze heures.

(5) **1.** ... pendant ... **2.** ... il y a ... **3.** ... dans ... **4.** ... pour ... **5.** ... pendant ... **6.** ... en ... **7.** ... pour ... **8.** ... pendant ... **9.** ... pour ... pendant ... **10.** ... pour ...pendant.

(6) ... depuis ... (pendant) ... dans ... il y a .... en (**ou** il y a)... pour ...

Autres exemples :
Pierre parle au téléphone depuis un quart d'heure.
Cet ami avec qui il parle, Pierre ne l'a plus revu depuis deux ans.
La semaine prochaine, nous allons partir en Australie pour trois mois.

41. LE TEMPS (3). Exercices p. 201.

(1) **2.** ... demain... **3.** ... le lendemain ... **4.** ... hier soir ... **5.** ... la veille ... **6.** ... ce jour-là ... **7.** ... ce jour-là ...

(2) **1.** Ce matin, ... Demain matin, ... **2.** Cette année, ... L'année prochaine, ...

(3) ... depuis ... pour ... depuis ... pendant ... pour ... pour ... pour ... depuis ... pendant ... depuis ...

(4) **1.** ... pendant ... depuis ... pour ... suivant ... **2.** ... depuis ... dans ... suivante ... dans ... depuis ... **3.** ... depuis ... il y a ... dans ... en ...

(5) **Exemple :** Je suis à l'université depuis trois ans. Je suis en France en échange Erasmus pour un an. Je suis arrivé(e) à Montpellier il y a six mois et en quelques mois j'ai rencontré beaucoup de nouveaux amis. J'ai trouvé un stage pour trois mois, j'ai commencé il y a un mois et tout

se passe bien ; j'ai déjà beaucoup appris en un mois intensif de pratique professionnelle. Je souhaite rentrer dans mon pays dans six mois et trouver un emploi stable pour quelques années, avant d'arrêter mon travail pour avoir des enfants ; et les enfants, c'est pour la vie entière !

41. LE TEMPS (3). Exercices p. 203.

1 … avoir … ai … avoir … j'ai … avoir … suis … m'être … j'ai.

2 … trente-cinq jours sans voir la terre, Christophe Colomb a découvert San Salvador. Après avoir découvert San Salvador, il est arrivé à Cuba et il a colonisé l'île. Après avoir colonisé l'île, il est rentré en Espagne.

Il a été nommé amiral en 1495. Après avoir été nommé amiral, il est reparti et a découvert les Petites Antilles. Après avoir découvert les Petites Antilles, il est retourné en Espagne. En 1498, il a organisé une troisième expédition. Il est mort dans la misère en 1506.

3 … avoir bu un porto, il s'est changé. Après s'être changé, il est allé au cinéma. Après être allé au cinéma, il s'est promené. Après s'être promené, il a mangé un steak-frites. Après avoir mangé un steak-frites, il s'est douché. Après s'être douché, il a lu un magazine. Après avoir lu un magazine, il s'est endormi.

4 … il a lu un magazine. Avant de lire un magazine, il s'est douché. Avant de se doucher, il a mangé un steak-frites. Avant de manger un steak-frites, il s'est promené. Avant de se promener, il est allé au cinéma. Avant d'aller au cinéma, il s'est changé. Avant de se changer, il a bu un porto. Avant de boire un porto, il a fini son travail.

5 **2.** … avant de manger. **3.** … avant de traverser. **4.** … avant de te coucher. **5.** … avant de quitter la pièce. **6.** … avant de prendre une décision.

Autres exemples : – Vérifie que tu as signé le chèque avant de l'envoyer. – N'oublie pas de prendre les clés avant de quitter la maison. – Avertis-moi avant de partir. – Téléphone-moi avant de prendre l'avion.

42. LE PASSIF. Exercices p. 205.

1 **2.** Le film *Titanic* a été réalisé par James Cameron. **3.** *Le Petit Prince* a été écrit par Saint-Exupéry. **4.** La pénicilline a été découverte par Fleming. **5.** L'imprimerie a été inventée par Gutenberg.

2 … a été reportée … ont été avertis … a été envoyé.

3 … ont été arrachés … a été coupée … ont été évacuées.

4 Les chiffres arabes ont été introduits en Occident en 1202. – L'université de la Sorbonne a été fondée en 1253. – La Bastille a été démolie en 1789. – La peine de mort a été abolie en France en 1981. – L'ONU a été créée en 1945.

5 ... a été reçu par le Président français. – Le problème de la pêche a été abordé. – Des mesures communes ont été prises. – Les propositions du gouvernement ont été refusées par les syndicats de pêcheurs.

6 La radio a été inventée par Marconi. – Le film *Le Parrain* a été réalisé par Coppola. – *Guernica* a été peint par Picasso. – Les hiéroglyphes ont été déchiffrés par Champollion. – Le Canada a été découvert par Jacques Cartier. – La Statue de la Liberté a été conçue par Gustave Eiffel.

43. L'IMPARFAIT. Exercices p. 207.

1 **1.** ... mais, avant, je parlais très peu. **2.** ... mais, avant, je mangeais beaucoup. **3.** ... mais, avant, je conduisais vite. **4.** ... mais, avant, je dormais bien. **5.** ... mais, avant, je faisais beaucoup de sport. **6.** ... mais, avant, j'étais très optimiste.

2 **1.** – À cette époque-là, mes parents avaient une Volvo break. **2.** – Nous allions en vacances au Portugal. **3.** – Quand j'étais adolescent(e), je lisais des livres d'aventure. **4.** – Quand j'étais au lycée, je faisais du volley. **5.** – Je prenais du café au lait. **6.** – J'écoutais Michael Jackson. **7.** – Je voulais être architecte.

3 ... avais ... était ... avait ... allais ... venait
... dormait ... étais ... s'appelait ... était ...

43. L'IMPARFAIT. Exercices p. 208.

1 **1.** ... au début de mon séjour, je n'avais pas d'amis et je ne parlais jamais français. **2.** ... au début de mon séjour, j'habitais dans un petit appartement et je n'avais pas de voiture. **3.** ... au début de mon séjour, je ne connaissais pas la ville et je ne savais pas prendre les transports. **4.** ... au début de mon séjour, je n'allais jamais au cinéma et je ne partais pas à la campagne. **5.** ... au début de mon séjour, je ne buvais pas de vin au déjeuner et je ne buvais pas de café noir. **6.** ... au début de mon séjour, je ne lisais pas les journaux et je n'écrivais pas de textes en français. **7.** ... au début de mon séjour, je ne comprenais pas les questions et je ne savais pas répondre.

2 ... connaissaient ... Ils mangeaient ... Ils allaient au marché ... Ils cuisinaient ... Ils regardaient ...

3 **Exemple :** À l'époque où l'électricité n'existait pas, la vie était très différente de la vie actuelle. Le soir, les veillées à la chandelle étaient longues ; tous les voisins se réunissaient et on jouait aux cartes. Les relations étaient plus chaleureuses que maintenant, même si les moyens de communication modernes n'existaient pas. Il n'y avait ni Internet, ni téléphone. Les lettres étaient le seul moyen de communication à distance. On ne pouvait pas habiter loin de son lieu de travail, car les moyens de transport étaient très lents. On travaillait plus et plus dur qu'aujourd'hui, car les machines étaient peu automatisées. Les loisirs étaient donc plus réduits. Mais on mangeait des produits plus frais et plus sains, et on respirait un air plus pur !

43. L'IMPARFAIT. Exercices p. 209.

1   **1.** … ils mettaient … **2.** … elles portaient des robes … **3.** … on travaillait … **4.** … ils mangeaient … **5.** … ils buvaient … **6.** … ils vivaient … **7.** … communiquait …

2   … habitaient … portaient … tuaient … pêchaient … cueillaient … faisaient … peignaient … utilisaient …

3   **Exemples :**

Au xixe siècle, les jeunes filles étaient très protégées par leur famille et n'avaient pas beaucoup de liberté. Elles avaient peur de tout, leurs parents avaient peur pour elles. Leur seule issue était le mariage ; il fallait trouver un bon parti ; quelquefois, elles faisaient un mariage heureux ; quelquefois, elles faisaient un mariage malheureux.

Au siècle dernier, les jeunes filles étaient un peu comme aujourd'hui. Mais elles étaient un peu moins indépendantes et les filles mineures n'avaient pas la contraception gratuite.

Dans l'Antiquité, ni les jeunes filles ni les femmes n'avaient de droits civiques, elles ne pouvaient pas voter, mais elles étaient, semble-t-il, assez libres. Elles étaient très belles, les sculptures en témoignent. Les jeunes filles participaient régulièrement à des processions religieuses en l'honneur de la déesse Athéna.

4   **Exemple :** Dans le quartier où j'habitais quand j'étais petit(e), il y avait un tramway qui traversait la ville. Il y avait un arrêt devant le bureau de tabac actuel. Tous les jeudis, ma mère et moi, nous prenions le tramway pour aller chez ma tante, car, à l'époque, le jeudi était un jour de congé à l'école. Ce jour-là, il y avait toujours beaucoup d'enfants qui jouaient dans les rues. Je jouais au ballon ou je jouais aux billes avec eux et j'ai des souvenirs mémorables de nos batailles : on se battait et puis on se réconciliait. J'avais vraiment de bons amis.

43. L'IMPARFAIT. Exercices p. 211.

1   … était (souligné ondulé) … <u>a donné</u> … <u>a averti</u> … avait (souligné ondulé) … <u>ont été arrêtés</u> … avaient (souligné ondulé) … <u>a réussi</u> … portait (souligné ondulé) …

descriptions	événements
– La banque était pleine de monde	– le caissier a donné l'argent aux bandits
– il y avait une alarme sous son bureau	– il a averti secrètement la police
– ils n'avaient pas l'argent sur eux	– Deux voleurs ont été arrêtés
– Il portait une veste grise, un chapeau et des lunettes noires.	– Le troisième a réussi à s'échapper avec la caisse

2   **1.** … j'ai raté … **2.** … j'ai entendu … **3.** … il pleuvait … **4.** … traversait … **5.** … a sonné. **6.** … faisait …

3   … faisait … ai pris … y avait … faisait … suis allé … était … était … suis rentré … j'étais … j'avais …

4   **Exemple :** … et j'étais en pleine forme. Malheureusement, au bout de 50 km, ma voiture est tombée en panne. J'ai dû téléphoner à un garagiste qui est venu dépanner la voiture. Cela a pris deux heures. Au moment de payer la facture, je n'avais pas de portefeuille : je n'avais ni argent liquide, ni carte de crédit. Comme la voiture marchait alors, je suis rentré(e) chez moi, j'ai pris de l'argent, je suis retourné(e) au garage, j'ai payé, et je suis enfin reparti(e) ! J'ai fait 200 km pour arriver à mon hôtel près de la plage. Là, j'ai pris une douche et j'ai mis des habits plus légers, car il faisait très chaud. Quand je suis arrivé(e) sur la plage, il était déjà six heures de l'après-midi. Mais il y avait encore du soleil et je me suis baigné(e) pendant une heure. L'eau était à une température parfaite et je me sentais enfin très bien après tous ces tracas !

43. L'IMPARFAIT. Exercices p. 212.

1 … s'est levé à sept heures, et comme toujours, il était de mauvaise humeur. Il a pris son petit déjeuner sans dire un mot. Comme toujours, il avait son casque sur la tête et il portait des lunettes noires. Il ressemblait à un Martien. À huit heures, il a quitté la maison pour prendre le bus. Il faisait froid et il pleuvait légèrement, mais, comme tous les jours, mon fils n'avait qu'un vieux pull sur le dos. Il portait aussi des jeans troués et des baskets fluorescentes. J'ai fermé la porte derrière lui et je me suis demandé, perplexe, si j'étais comme ça à son âge.

2 **2.** … a sonné … dormais … **3.** … a ouvert … s'est envolé. **4.** … a eu … roulait … **5.** … a ouvert … s'est coupé …

3 Madame Élise était une vieille dame qui vivait seule sur la colline. Un jour, la colline a pris feu. Madame Élise était trop vieille pour courir : elle s'est assise tranquillement. Elle était prête à mourir. Le feu s'est arrêté tout près d'elle. Madame Élise a changé complètement de vie : elle a vendu sa maison, elle a retiré tout son argent de la banque et elle est partie faire le tour du monde. Elle s'est inscrite à l'université et elle a passé une licence d'ethnologie. À quatre-vingt-dix ans, elle a publié ses Mémoires et elle est devenue très célèbre.

4 **1.** … avons ouvert … faisait … **2.** … êtes allé(e)(s) … aviez … **3.** … a mangé … avait … **4.** … a bu … avait … **5.** … j'ai pris … pleuvait.

43. L'IMPARFAIT. Exercices p. 213.

1 J'étais à la terrasse d'un café près de l'Opéra. Il faisait très beau. J'attendais une amie. Je regardais les passants. Il n'y avait pas beaucoup de monde. Soudain, j'ai remarqué une femme sur le trottoir d'en face. Le feu est passé au vert, mais elle est restée immobile, comme une statue. Elle était grande, pâle, elle semblait épuisée. Tout à coup, une voiture s'est arrêtée devant elle. Un homme est sorti. Il portait une petite valise. Il était très brun et il avait de petites moustaches. Il avait l'air dangereux. Il a tendu la valise à la dame et il est reparti tout de suite. Mais je n'ai pas vu la suite parce que mon amie est arrivée, elle m'a embrassé(e) et s'est assise en face de moi. Quand j'ai tourné la tête, la femme n'était plus là.

2 **1.** … fumait … a arrêté … **2.** … votaient … ont voté … **3.** … pesais … j'ai perdu … **4.** … j'habitais … j'ai habité … **5.** … j'ai travaillé … vivais … **6.** … parlais … 'ai parlé …

3 J'attendais une amie et ma tante est arrivée. Elle a critiqué mon appartement. Elle a jeté les revues qui étaient sur mon bureau. Elle a contrôlé les livres que je lisais. Elle est finalement

partie, mais elle a oublié quelque chose sur le tapis : c'était une petite valise. Je l'ai ouverte :
il y avait un chat dedans. Je suis descendu(e) au parking, j'ai pris ma voiture et j'ai cherché
ma tante dans tout le quartier. Quand je l'ai finalement trouvée, elle attendait à un feu rouge
près de l'Opéra.

4   **Réponses possibles** : J'ai fermé la fenêtre parce qu'il y avait du vent. – J'ai mis mon
imperméable parce qu'il pleuvait. – Je suis allé(e) chez le dentiste parce que j'avais une carie.
– J'ai pris le taxi parce que je n'aime pas le métro.

44. LE PLUS-QUE-PARFAIT. Exercices p. 215.

1   **1.** Oui, quand j'ai trouvé du travail, j'avais déjà terminé mes études. **2.** Oui, quand j'ai
commencé le cours de français, j'avais déjà rencontré le professeur. **3.** Oui, quand j'ai passé
le test, j'avais déjà étudié le français. **4.** Oui, quand le cours a commencé, j'avais déjà acheté
mes livres.

2   **1.** … avions rencontrés … **2.** … m'avait offert … **3.** … lui avais écrite … **4.** … avait perdu …
5. … j'avais garé …

3   … avait pris son bain … avait dîné – … lisait, il caressait son chat … écoutait de la musique
– … a embrassé, il m'a raconté sa journée … a donné un dessin.

4   … n'avait pas arrosé … n'avait pas nettoyé … n'avait pas fait … n'avait pas repassé … n'avait
pas rangé …

45. LE DISCOURS INDIRECT au PASSÉ. Exercices p. 217.

1   **1.** Oui, on m'a dit qu'il était en panne. **2.** Oui, on m'a dit qu'il y avait du couscous. **3.** Oui,
on m'a dit qu'on avait volé le vélo du professeur. **4.** Oui, je savais qu'elle avait démissionné.
5. Oui, on m'a dit qu'il allait prendre sa retraite. **6.** Oui, on m'a dit que l'école allait fermer
cet été. **7.** Oui, je savais que nous ferions une fête de fin d'année. **8.** Oui, on m'a dit qu'il
y aurait un orchestre cubain et qu'on danserait.

2   **1.** … allait à Nice voir son père. … avait signé tous les contrats … reviendrait mardi prochain.
2. … venait de rentrer, qu'il allait se changer et qu'il nous rejoindrait au cinéma. Il a dit que,
s'il arrivait en retard, il nous attendrait à la sortie. **3.** … il avait perdu ses lunettes ce matin et
qu'il les avait peut-être oubliées en salle 11. Il a dit qu'il rappellerait dans l'après-midi.

45. LE DISCOURS INDIRECT au PASSÉ. Exercices p. 218.

1   **1.** Non, on ne m'a pas dit qu'il était parti en croisière en Égypte. **2.** Non, je ne savais pas
qu'il était tombé malade pendant le voyage. **3.** Non, je ne savais pas qu'un docteur chinois

l'avait guéri avec des algues. **4.** Non, je ne savais pas qu'il était devenu l'associé d'un grand armateur. **5.** Non, on ne m'a pas dit qu'il allait épouser une princesse arabe.

2 **1.** J'ai lu dans une revue que les chiens voyaient seulement en noir et blanc. **2.** J'ai lu dans un magazine que les petites filles étaient plus douées pour les langues mais que les petits garçons savaient mieux se situer dans l'espace. **3.** J'ai lu dans le journal que beaucoup d'animaux et de plantes disparaîtraient d'ici vingt ans et qu'il fallait les protéger de toute urgence. **4.** J'ai lu dans un magazine qu'il y avait un marché noir des armes nucléaires et que n'importe qui pourrait bientôt s'acheter une bombe atomique.

3 **Exemple** : … qu'un nouveau tremblement de terre avait eu lieu au Japon et qu'il y avait beaucoup de victimes. J'ai vu un reportage sur Fukushima et le journaliste a prouvé que le problème est loin d'être résolu. J'ai entendu au journal télévisé que l'essence allait encore augmenter. J'ai lu qu'une fille de treize ans s'était suicidée parce que ses parents ne voulaient pas accepter sa relation avec un homme plus âgé.

45. LE DISCOURS INDIRECT au PASSÉ. Exercices p. 219.

1 **1.** … au-dessus de la ville et que je voyais l'intérieur des maisons. **2.** J'ai rêvé que je devais prendre l'avion, mais que l'aéroport avait disparu et que je me retrouvais dans le désert. **3.** J'ai rêvé que j'avais acheté un réveil, mais qu'il se transformait en machine à remonter le temps et que je me retrouvais à l'époque préhistorique. **4.** J'ai rêvé que je devais participer à un match de boxe et que j'étais un peu nerveux(se) parce que mon adversaire était un type énorme. Mais je savais qu'il avait un point faible et que je gagnerais.

Autres exemples :
J'ai rêvé que j'étais à la terrasse d'un café avec une amie et qu'on mangeait un gâteau. Nous disions au serveur que ce gâteau était délicieux, alors il nous en apportait un second.
J'ai rêvé que la télévision était allumée et que je voyais de manière très inattendue ma meilleure amie qui chantait dans une chorale de chants grégoriens.
j'ai rêvé qu'il y avait un très vieil homme au bord de la mer et que je devais le rencontrer. Justement il venait vers moi et voulait me parler. Mais ses paroles étaient incompréhensibles.

2 Le soir, Marie est venue me chercher et m'a demandé si je voulais me marier avec elle, j'ai dit que cela m'était égal et que nous pourrions le faire si elle voulait. Elle a voulu savoir alors si je l'aimais. J'ai répondu comme je l'avais déjà fait une fois, que cela ne signifiait rien, mais que, sans doute, je ne l'aimais pas . « Pourquoi m'épouser alors ? », a-t-elle dit. Je lui ai expliqué que cela n'avait aucune importance et que si elle le désirait, nous pourrions nous marier. Elle a observé alors que le mariage était une chose grave. J'ai répondu : « Non. » Elle m'a regardé en silence. Puis elle a parlé. Elle s'est demandé si elle m'aimait et moi je ne pouvais rien savoir sur ce point. Après un autre moment de silence, elle a murmuré que j'étais bizarre, qu'elle m'aimait sans doute à cause de cela mais que peut-être un jour je la dégoûterais pour les mêmes raisons. Comme je me taisais, n'ayant rien à ajouter, elle m'a pris dans ses bras en souriant et elle a déclaré qu'elle voulait se marier avec moi. J'ai répondu que nous ferions quand elle voudrait.

3 … il avait besoin d'être seul et qu'il voulait louer un petit studio. Il a précisé qu'il m'appellerait tous les soirs, qu'il ne fallait pas s'inquiéter et qu'on se verrait le week-end.

Suite possible : Je lui demandé ce que cela voulait dire, s'il avait une autre femme dans sa vie et si cela était une manière de me mettre à l'écart.

Il m'a juré que non et il m'a expliqué que tout simplement un couple avait besoin aussi de distance et d'espace pour se régénérer.

Je lui ai dit que je pouvais comprendre, mais que ce n'était pas mon choix.

 … des feuilles et des fleurs poussaient sur la tête des cerfs au printemps. – Je croyais que la petite souris construisait des châteaux avec mes dents de lait. – Je croyais qu'un monstre allait manger ma jambe si elle dépassait du lit. – Je croyais que, si j'avalais un noyau de cerise, un arbre pousserait dans mon ventre. – Je croyais que les spaghettis poussaient sur des arbres en Italie.

Autres exemples : Quand j'étais petit(e), je croyais que le père Noël existait et qu'il venait la veille de Noël en passant par la cheminée de la maison. – Je croyais que les bébés étaient apportés par les cigognes.

BILAN n° 5 p. 220.

1 Le samedi 16 septembre, à 10 heures du matin, M. Blanchard a chargé sa voiture pour partir en week-end, tandis que sa femme finissait de ranger la maison. La voiture était garée dans le jardin.

À 11 heures, quand M. et Mme Blanchard sont arrivés avec leurs derniers paquets à la main, ils se sont aperçus que leur voiture avait disparu.

À 13 heures, les deux victimes sont allées à la police et ont porté plainte pour vol.

Le dimanche 17 septembre, à 10 heures du matin, Mme Blanchard est sortie pour arroser ses fleurs. Elle a découvert sa voiture dans le jardin, à la même place. Les bagages étaient encore à l'intérieur, au complet. Elle a appelé son mari. Ils ont contrôlé ensemble l'état de la voiture, sans comprendre. Soudain, sur le pare-brise, Mme Blanchard a vu une lettre. Elle l'a ouverte, elle l'a lue et elle l'a tendue à son mari. Voilà ce que disait le mot : « Je vous remercie et je m'excuse de vous avoir emprunté votre voiture. Pour me faire pardonner, voilà deux billets de théâtre pour le spectacle que donne ce soir la compagnie avec laquelle je travaille. »

À 13 heures, M. et Mme Blanchard sont retournés à la police. Ils ont dit qu'ils avaient retrouvé leur voiture et qu'ils retiraient leur plainte. Le policier a insisté pour garder leur déposition, mais ils n'ont pas voulu.

À 18 heures, M. et Mme Blanchard sont allés à la ville voisine pour assister à la pièce de théâtre. Ils ont trouvé le spectacle très drôle et ils ont passé une très bonne soirée. La salle était comble et le public semblait apprécier les acteurs. M. et Mme Blanchard se sont demandé, tout au long du spectacle, si leur voleur n'était pas sur la scène, sous leurs yeux.

À 22 heures, M. et Mme Blanchard sont rentrés chez eux. Ils ont trouvé leur maison complètement vide. Sur la seule table qui restait, il y avait un petit mot des voleurs : « Merci beaucoup pour votre aimable collaboration. »

Le lundi matin, ils ont dû retourner à la police.

BILAN n° 6 p. 221.

(1) **1.** ... de ... c'était ... qui ... **2.** ... a eu ... dans ... depuis ... **3.** ... a été ... il a été (élu) ... depuis ... **4.** ...j'ai passé ... il faisait ... il y avait ... **5.** ... avons mis ... il y avait ... sommes arrivés ... **6.** ... il y a ... lui ... dans ... **7.** ... s'est ... était ... n'y avait ... **8.** ... avons fait ... dont ... **9.** ... j'en ai parlé ... leur ... **10.** ... serait ... partirait ... **11.** ...depuis...descendant...s'est... **12.** ...ferait...y aurait... **13.** ...qui...du...depuis... **14.** ... ce que ... ce dont ... **15.** ... mis ... fermé ... faisait ...

46. « VENIR de », « ÊTRE en TRAIN de », « ÊTRE sur LE POINT de ».
Exercices p. 223.

(1) **1.** N'entrez pas dans la chambre, Paul est en train de faire la sieste. **2.** Ne dérange pas Marie, elle est en train de faire des calculs compliqués. **3.** Ne parlez pas, s'il vous plaît, nous sommes en train d'enregistrer la conférence. **4.** Approche la lampe, s'il te plaît, je suis en train de retirer une épine de mon pouce.

(2) **1.** ... viens (juste) de rentrer. **2.** ... vient (juste) de commencer. **3.** ... vient (juste) d'appeler. **4.** ... viennent (juste) de se coucher. **5.** ... viens (juste) de l'acheter.

(3) La nuit est sur le point de tomber.
Les magasins sont sur le point de fermer.
Les lumières sont sur le point de s'allumer.

(4) **1.** ... suis sur le point de ... **2.** ... est en train de ... **3.** ... venez d'... **4.** ... sont en train de ... **5.** ... viens de ... **6.** ... vient de ...

47. LE FUTUR SIMPLE. Exercices p. 225.

(1) **Réponses possibles : 1.** ... j'habiterai dans une grande maison. **2.** ... je serai riche. **3.** ... j'aurai une voiture. **4.** ... je parlerai couramment sans faire d'erreurs. **5.** ... je serai totalement bilingue.

(2) **1.** ... fera ... y aura ... faudra ... partirez ... **2.** ... seront ... ferons ... mangerons ... boirons ... **3.** ... serons ... enverrons ... fera ...

(3) ... Les villes seront presque vides. Tout le monde aura une maison individuelle avec des robots. On ne voyagera plus : on verra ses amis sur des écrans, chez soi. Les étudiants n'iront plus à l'université, ils travailleront sur Internet. Il n'y aura plus de maladies génétiques. Les gens seront grands, minces et en bonne santé. Ils vivront en moyenne cent dix ans. Il fera très chaud. On ira faire du ski sur d'autres planètes.

4 Selon moi, en 2080, le monde sera effectivement fort différent du monde actuel. La technologie sera encore plus avancée pour ce qui est de la domotique et de l'informatique : tout sera relié et interconnecté à partir du smartphone qui agira comme un ordinateur central, très petit et maniable. La grande question est celle du climat : est-ce que la température de la planète continuera à augmenter ? Si oui, cela risque fort de perturber encore plus les équilibres écologiques, les cultures vivrières seront souvent détruites par des turbulences climatiques, ce qui posera des problèmes pour la nourriture de la population de la planète qui ne cessera d'augmenter. Est-ce que l'humanité saura réduire ses pollutions et sa course au profit ou laissera-t-elle faire ? Personne ne le sait. Qui vivra verra !

47. LE FUTUR SIMPLE. Exercices p. 227.

1 **2.** ... allons aménager la terrasse et nous pourrons dîner dehors. **3.** ... va changer de quartier et on ira au lycée à pied. **4.** ... vas prendre une aspirine et tu te sentiras mieux.

2 ... , je visiterai Cnossos, je dormirai à Matala, je mangerai du yaourt et du miel, je lirai des livres de Kazantzakis, j'écouterai des chansons d'Alexiou, j'irai à Aghios Nicolaos.

3 ... fera la vaisselle, pendant que Marie rangera le salon.
Pendant que Jean fera les valises, Marie préparera les sandwichs.
Et pendant qu'il chargera la voiture, elle habillera les enfants.

4 ... verras ... se rencontrera ... nous regarderons ... nous reconnaîtrons ... irons.

48. LE FUTUR ANTÉRIEUR. Exercices p. 229.

1 **2.** ... téléchargeras le deuxième épisode de la série quand tu auras téléchargé le premier. **3.** ... achètera une voiture quand elle aura passé le permis. **4.** ... ferons l'exercice n° 3 quand nous aurons fait l'exercice n° 2. **5.** ... passeront un examen quand ils auront fini le stage.

2 **1.** Téléphonez-moi quand vous aurez réfléchi à ma proposition. **2.** Tenez-moi au courant quand vous aurez parlé à votre banquier. 3. Venez dans mon bureau quand vous aurez terminé votre travail. **4.** Éteignez l'ordinateur quand vous aurez enregistré les données. **5.** Écrivez-moi quand vous aurez pris une décision.

3 Quand on aura remplacé le pétrole par l'énergie solaire, la couche d'ozone se reconstituera.
Quand on aura interrompu la destruction des forêts, la nature revivra.

49. LE CONDITIONNEL (2). Exercices p. 231.

1 ... et les histoires de tout le monde. Tous les mercredis, le charcutier de Dampierre klaxonnerait devant chez vous pour vous apporter les andouillettes.
Tous les lundis, madame Blaise viendrait laver. On irait avec les enfants cueillir des mûres ...

On serait attentif au passage du car de sept heures. On aimerait aller s'asseoir sur le banc du village…

On saurait reconnaître les oiseaux à leur chant. On attendrait le retour des saisons.

② **1.** Avertissez-moi au cas où vous quitteriez votre appartement. **2.** Achète une pizza au cas où il y aurait des invités. **3.** Prenez un gros pull au cas où il ferait froid. **4.** Expliquez tout à Pierre au cas où il demanderait des explications. **5.** Regardez la règle de grammaire au cas où vous auriez des doutes.

③ **Exemples** : 1. … j'y serais allé(e). **2.** … je l'aurais raté. **3.** … je l'aurais appelée. **4.** … je ne vous en aurais pas offert. **5.** … il l'aurait écrasé.

④ **Exemples** :

…voyager et parler plusieurs langues.

J'aurais voulu être un artiste.

J'aurais aimé acheter une maison au bord de la mer.

J'aurais dû profiter davantage de la vie.

J'aurais voulu avoir des enfants.

J'aurais dû faire des économies.

J'aurais dû être plus tolérant.

50. LES HYPOTHÈSES. Exercices p. 233.

① **Réponses possibles : 1.** Si je change de voiture, j'achèterai une décapotable. **2.** Si j'invite Alice à dîner, je l'emmènerai à La Coupole. **3.** Si je fais une fête, ce sera un samedi. **4.** Si je pars en vacances, j'irai en Martinique.

② … tu prendras froid. Si tu prends froid, tu tomberas malade. Si tu tombes malade, tu manqueras l'école. Si tu manques l'école, tu rateras tes examens. Si tu rates tes examens, tu étudieras pendant l'été. Si tu étudies pendant l'été, tu ne partiras pas en vacances.

③ **1.** Si vous remplissez le formulaire, vous recevrez un catalogue. **2.** Si vous réorganisez vos services, vous serez efficace. **3.** Si vous partez tôt, vous éviterez les embouteillages. **4.** Si vous parlez plus lentement, vous ferez moins d'erreurs. **5.** Si vous prenez des vitamines, vous serez plus en forme.

④ **Exemples** : **1.** … irons … s'il fait mauvais, nous irons … **2.** … l'appellerai Gabriel … c'est une fille, je l'appellerai … **3.** … prendrai … je vais … je prendrai … **4.** … mangerai des raviolis de crevettes, mais si je vais au restaurant thaï, je mangerai des légumes pimentés à la sauce noix de coco. **5.** … j'irai dans le Midi, mais si j'ai une semaine de congé, j'irai en Corse.

50. LES HYPOTHÈSES. Exercices p. 235.

① **Réponses possibles** : **1.** – Si j'avais un an de congé, j'irai en Extrême-Orient. **2.** – Si j'avais un perroquet, je l'appellerais Zébulon. **3.** – Si je changeais de ville un jour, je m'installerais à Montpellier. **4.** Si je ne faisais pas de grammaire en ce moment, je serais en train de tondre mon gazon.

② **Réponses possibles : 2.** … était en … il ferait chaud. **3.** … habitais à la … j'aurais un chien. **4.** … faisais des … tu ferais des progrès. **5.** … avais le … je pourrais aller te voir plus souvent.

③ **Réponses possibles : 1.** Si je trouvais un dossier dans un taxi, je l'apporterais au commissariat de police le plus proche. **2.** S'il y avait une fuite dans ma cuisine, j'appellerais un plombier. **3.** Si nous étions bloqués dans l'ascenseur, je crierais très fort. **4.** Si un voisin appelait au cours, j'irais voir ce qui se passe.

④ **Exemples :** … j'interdirais le stationnement dans le centre, je multiplierais les passages souterrains pour les voitures, je doublerais le nombre de taxis, je planterais des arbres, j'utiliserais les fleuves pour les transports, je créerais de nouvelles crèches, je ferais détruire tous les immeubles vétustes, je tracerais des pistes cyclables, je créerais de nouvelles lignes de bus.

50. LES HYPOTHÈSES. Exercices p. 236.

① **1.** … je mettais des talons de 20 centimètres, je me tordrais la cheville ! **2.** … je m'habillais comme une gamine, je serais ridicule ! **3.** … je sortais sous la pluie sans parapluie, je m'enrhumerais ! **4.** … je faisais mes vêtements moi-même, je ressemblerais à un clown !

② … je mettais du poivre et du piment dans tous les plats, j'aurais mal à l'estomac ! **2.** … j'étais beau(belle), riche et intelligent(e), je serais très content(e) ! **3.** … je buvais un litre d'alcool par jour, je ne serais pas très en forme ! **4.** … j'avais deux femmes, six enfants et trois chiens, je ne tiendrais pas le coup !

③ Si on allait au cinéma ? – Si on partait à la campagne ? – Si on mangeait quelque chose ?

④ **Exemples :** • Ma meilleure amie : Si c'était un légume, ce serait de l'oseille. Si c'était une couleur, ce serait le rose. Si c'était une ville, ce serait Bordeaux. Si c'était une actrice, ce serait Juliette Binoche. Si c'était une voiture, ce serait une Porsche.

• Ma prof d'histoire : Si c'était un légume, ce serait un chou. Si c'était une couleur, ce serait le mauve. Si c'était une ville, ce serait Carcassonne. Si c'était une actrice, ce serait Catherine Deneuve. Si c'était une voiture, ce serait une voiture au design rétro.

⑤ … je passerais ma vie à faire des acrobaties sur les toits. – Si j'étais la reine d'Angleterre, je prendrais plus de pouvoirs pour engager des réformes efficaces pour la protection de l'environnement. – Si j'étais un professeur de français, je demanderais aux élèves de prendre une demi-heure par jour pour réviser les points nouveaux. – Si j'étais une star de football, je donnerais une partie de mon argent à mes proches. – Si j'étais un petit enfant, j'aurais plus de joie de vivre et je rirais beaucoup plus souvent !

50. LES HYPOTHÈSES. Exercices p. 237.

(1) **1.** … j'aurais acheté une télévision. **2.** Si j'étais allé dans un restaurant indien, j'aurais mangé du poulet au curry. **3.** Si j'étais rentré chez moi en métro, j'aurais mis une heure. **4.** Si j'avais eu 19 sur 20 à mon devoir, j'aurais été deuxième.

(2) S'il y avait eu moins de vent, je serais allé(e) à la plage. **2.** S'il y avait eu moins de circulation, elle aurait pris son vélo. **3.** S'il y avait eu moins de monde, je serais allé(e) à la piscine. **4.** Si tu avais bu moins de vin, tu n'aurais pas eu mal à la tête.

(3) **1.** … si j'avais regardé la télévision, j'aurais regardé … **2.** … si j'avais pris un apéritif, j'aurais pris … **3.** … si j'avais mangé des fruits, j'aurais mangé … **4.** … si j'étais parti(e) en week-end, je serais allé(e) …

(4) **2.** Si j'avais su, je ne le lui aurais pas donné. **3.** Si j'avais su, je ne leur aurais rien dit. **4.** Si j'avais su, je ne le leur aurais pas conseillé. **5.** Si j'avais su, je n'y serais pas allé(e).

51. LE SUBJONCTIF. Exercices p. 239.

(1) **1.** Il faut que vous répétiez souvent les mêmes structures. **2.** Il faut que vous écoutiez les exercices enregistrés. **3.** Il faut que vous corrigiez votre accent. **4.** Il faut que vous notiez du vocabulaire. **5.** Il faut que vous regardiez des films français.

(2) … Il faut que nous regardions la météo.
Il faut que nous étudiions la carte.
Il faut que nous préparions des sandwichs.
Il faut que nous emportions des pulls chauds.
Il faut que nous mangions légèrement.

(3) … insériez votre carte. Il faut que vous composiez votre code secret. Il faut que vous sélectionniez une opération. Il faut que vous indiquiez le montant. Il faut que vous retiriez les billets. Il ne faut pas que vous oubliiez votre carte.

(4) … étudies. Il faut que chaque élève étudie. Il faut que nous étudiions. Il faut que vous étudiiez. Il faut que tous étudient.
Il faut que je participe. Il faut que tu participes. Il faut que chaque élève participe. Il faut que nous participions. Il faut que vous participiez. Il faut que tous participent.
Il faut que je pratique. Il faut que tu pratiques. Il faut que chaque élève pratique. Il faut que nous pratiquions. Il faut que vous pratiquiez. Il faut que tous pratiquent.
Il faut que j'accepte. Il faut que tu acceptes. Il faut que chaque élève accepte. Il faut que nous acceptions. Il faut que vous acceptiez. Il faut que tous acceptent.
Il faut que je recopie. Il faut que tu recopies. Il faut que chaque élève recopie. Il faut que nous recopiions. Il faut que vous recopiiez. Il faut que tous recopient.

(5) **Exemple :** Il faut que je sois plus ponctuel(le). Il faut que je réponde à tous mes mails. Il faut que j'aille chez le coiffeur une fois par mois et que je prenne rendez-vous plusieurs jours à l'avance. Il faut que je prépare un curriculum vitae accrocheur et que je l'envoie à plusieurs entreprises.

51. LE SUBJONCTIF. Exercices p. 241.

1 Il faut que j'écrive de gros rapports.
Il faut que je lise les journaux étrangers.
Il faut que je sorte tard du bureau.
Il faut que je fasse des heures supplémentaires.

2 **2.** – Il faut vraiment que je les reçoive ? – Oui, il faut que vous les receviez. **3.** – Il faut vraiment que je les jette ? – Oui, il faut que vous les jetiez. **4.** – Il faut vraiment que je les apprenne ? – Oui, il faut que vous les appreniez.

3 **2.** … fasse … **3.** … buviez … **4.** … mette … **5.** … parte …

4 … pour New York avec Nicolas. Il faut que nous obtenions des crédits supplémentaires.
Il faut que la direction comprenne que le marché européen a changé. Il faut qu'elle nous suive et nous fasse confiance. Mais il faut que nous soyons très convaincants.
Pendant notre absence, il faut que tu fasses patienter les clients. Il faut que tu leur dises que tout sera prêt à Noël comme prévu. Naturellement, il ne faut pas qu'ils sachent que nous avons des problèmes…
Bon courage !

5 **Exemple :** Avant de partir, il faut que je retrouve mon billet de train, il faut que j'appelle l'agence de voyages pour ma location de studio, il faut que je fasse ma valise et il ne faut pas que j'oublie mon chapeau et la crème solaire. Il faut que je rappelle la voisine pour lui laisser les clés parce qu'il ne faut pas qu'elle oublie d'arroser mes plantes pendant mes deux semaines d'absence. Il faut que je descende les poubelles et que tout soit en ordre avant mon départ. Il faut que je passe la soirée à tout vérifier parce qu'il faut que mon séjour soit un séjour sans aucun problème !

51. LE SUBJONCTIF. Exercices p. 243.

1

+ indicatif	+ subjonctif
…	J'aimerais
Je trouve	Je souhaite
Je suppose	J'ai peur
J'espère	Je crains
Je crois	Je trouve normal

2 **1.** – Je ne sais pas, mais j'aimerais bien qu'elle vienne avec nous. **2.** – Je ne sais pas, mais j'aimerais bien qu'il réussisse. **3.** – Je ne sais pas, mais j'aimerais bien qu'ils partent ensemble. **4.** – Je ne sais pas, mais j'aimerais bien qu'ils prennent le train. **5.** – Je ne sais pas, mais j'aimerais bien qu'ils aillent voir leur grand-mère.

3 **Exemples :** (Je trouve) que les produits bio sont plus chers que les autres. – (Je ne crois pas) qu'il y ait de la vie sur Mars. – (Je suis choqué(e)) que les criminels soient de plus en plus jeunes. – (Je trouve inquiétant) qu'il y ait de plus en plus de cataclysmes. – (J'aimerais) qu'on prenne plus le temps de vivre. (Je regrette) que les hommes soient trop individualistes.

51. LE SUBJONCTIF. Exercices p. 244.

1 … et qu'il y ait plus de lumière. Je voudrais que la moquette soit changée et que la couleur des murs soit plus gaie. J'aimerais qu'il y ait des stores et qu'il y ait un placard personnel. Je souhaiterais que nous fassions moins d'heures supplémentaires et que nous ayons plus de temps pour déjeuner.

2 … Je suis triste que tu partes.
Je suis ravie que tu m'écrives.
Je suis heureuse que tu reviennes.
Je suis furieuse que tu mentes.

3 **1.** – Non, je ne crois pas qu'ils soient fermés le lundi. **2.** – Non, je ne pense pas qu'il y ait un bus direct pour l'Opéra. **3.** – Non, je ne crois pas que nous soyons en retard. **4.** – Non, je ne pense pas qu'on puisse entrer sans faire la queue. **5.** – Non, je ne pense pas qu'il fasse froid.

4 **Exemples :** Je trouve que ma chambre est trop bruyante. Et je trouve qu'il n'y a pas assez de rangements : l'armoire et la commode sont trop petites. Je trouve aussi qu'il y a trop de lumière la nuit : il n'y a pas de volets.

J'aimerais que ma chambre soit moins bruyante, qu'elle donne sur la cour, et non pas sur la rue. Et je voudrais qu'il y ait plus de rangements, que l'armoire et la commode soient plus grandes. Je voudrais aussi qu'il y ait moins de lumière la nuit et que l'on fasse installer des volets.

51. LE SUBJONCTIF. Exercices p. 245.

1 … sorte plus et qu'il ait plus d'amis. Je voudrais qu'il soit moins seul. Je souhaiterais qu'il soit plus sociable et qu'en général il fasse plus d'efforts. Je voudrais qu'il soit plus costaud et qu'il fasse du sport. Je voudrais qu'il retourne à la piscine, comme avant. J'aimerais qu'il reprenne au moins ses cours de guitare et qu'il aille de nouveau au concert le jeudi.

2 **2.** – Moi aussi, je crains qu'ils soient mécontents. **3.** – J'ai peur qu'ils fassent des réclamations. **4.** – J'imagine qu'il fera une réunion. **5.** – Je suppose qu'ils seront présents.

3 … Il ne croit pas que le combat soit truqué. Il souhaite que Jim fasse un beau match. Il suppose que le combat sera retransmis. Il imagine que l'arbitre est un ancien boxeur. Il est surpris qu'il y ait plus de femmes que d'hommes dans la salle.

4 **Réponses possibles : 2.** Je crains … **3.** Je suis étonné(e) … **4.** Je trouve … **5.** Je veux … **6.** Je regrette … **7.** Je crains … **8.** Je trouve anormal …

51. LE SUBJONCTIF. Exercices p. 247.

1 **1.** … c'est choquant qu'un footballeur soit mieux payé qu'un ministre. **2.** … c'est insupportable qu'on meure encore de faim au xxe siècle. **3.** … c'est dommage que Salinger n'écrive plus de romans. **4.** … c'est évident que la pollution est responsable des perturbations climatiques.

② **Réponses possibles : 1.** Il vaudrait mieux que tu prennes de l'aspirine. **2.** Il vaudrait mieux que tu fasses toi-même la pizza. **3.** Il vaudrait mieux que tu ailles dans un pays chaud ! **4.** Il vaudrait mieux que tu mettes ton argent à la banque. **5.** – Il vaudrait mieux que tu ailles voir un psychologue.

③ **1.** … lisiez … **2.** … fasse … aient … **3.** … est … est … **4.** … est … a … **5.** … ait … aura … **6.** … fasse … **7.** … soit … est … **8.** … fera …

④ **Exemples : 1.** … ait trouvé un traitement efficace. **2.** Je suis furieux que Paul n'ait rien fait. **3.** Je suis désolé que nous soyons arrivés en retard.

51. LE SUBJONCTIF. Exercices p. 249.

① **1.** … fassent … **2.** … (ne) soit … **3.** … fassent … **4.** … soit … **5.** … soyons … **6.** … (ne) soit … **7.** … soit … **8.** … soit …

② … soient … soit … puissent … soit … aient … reçoivent … aient … soient …

③ **1.** … pour que les médicaments soient remboursés, il faut que le médecin soit conventionné. **2.** … pour que le patient puisse quitter l'hôpital, il faut qu'il remplisse une feuille de sortie. **3.** … pour que le malade comprenne les instructions, il faut qu'on les traduise dans sa langue.

④ **1.** … nous ayons un ticket de caisse. **2.** Pour que les enfants puissent sortir, il faut qu'ils aient une autorisation. **3.** Pour que vous ayez une réduction sur les vols, il faut que vous restiez moins de trois jours. **4.** Pour que vous ayez une remise, il faut que vous fassiez une grosse commande.

52. LES RELATIONS LOGIQUES. Exercices p. 251.

① **Réponses possibles : 2.** Le bébé pleure parce qu'il a faim. **3.** Marie est triste parce qu'elle a raté ses examens. **4.** – Les employés ne sont pas là parce qu'ils font la grève. **5.** L'ascenseur ne descend pas parce qu'il est en panne !

② … Comme … parce que … Comme … Comme …

③ **Exemples : 2.** Puisque tu as mal à la tête, passons une soirée tranquille sans rien faire de spécial. **3.** Puisque le frigo est vide, je vais chercher un plat à emporter à la pizzeria d'à côté. **4.** Puisque finalement tu veux sortir, allons au restaurant.

④ **1.** … parce que … **2.** Comme … **3.** Puisque … **4.** … puisque …

⑤ … parce que … Comme … grâce à … à cause … grâce … Comme … puisqu'…

6 Réponses possibles : **2.** … à cause du … Grâce à « Hydra », elle sera réhydratée en profondeur ! **3.** … à cause du … Grâce à « Hypnos », vous retrouverez le sommeil !

52. LES RELATIONS LOGIQUES. Exercices p. 253.

1 Nos frais ont augmenté, par conséquent, nous devons ajuster nos prix.
La télé est en panne, alors on va au cinéma.
Paul ment toujours, c'est pour ça qu'on ne le croit plus.

2 Réponses possibles : **1.** … Donc, … **2.** … c'est pour ça qu'…. **3.** … alors … **4.** … c'est la raison pour laquelle …

3 Réponses possibles : **1.** … puisque … Alors … **2.** … Comme … c'est pour ça que … **3.** … grâce … si bien que …

4 Réponses possibles : **1.** … pour que … comprenne … **2.** … afin qu'… voient … **3.** … afin que … soit … **4.** … pour qu'… fassent … **5.** … afin que … puisse …

5 Réponses possibles : **1.** … c'est pour ça que je ne suis pas très en forme. **2.** … donc il a le droit de faire ce qu'il veut. **3.** … c'est pourquoi il est tout bronzé. **4.** … c'est la raison pour laquelle on arrivera avec un jour de retard. **5.** … alors je dois porter des lunettes de vue. **6.** … c'est pour ça que la plupart des magasins sont fermés. **7.** … alors je cherche un pansement. **8.** … si bien qu'on devra descendre à pied.

52. LES RELATIONS LOGIQUES. Exercices p. 255.

1 … se boit frais. – … du beurre, alors que (**ou** tandis que) les gens du Sud consomment de l'huile d'olive. – … est une monarchie, tandis que (**ou** alors que) la France est une république. – … avec des baguettes, alors qu'en France (**ou** tandis qu') on mange avec un couteau et une fourchette.

2 Exemples : … n'est jamais à l'heure. – Jo ne court jamais, alors que Jim fait une demi-heure de jogging minimum tous les jours. – Jo mange beaucoup et il a toujours faim, en revanche Jim mange très peu et il n'a jamais faim. – Jo est carnivore et il déteste les légumes, tandis que Jim est végétarien et mange beaucoup de légumes crus. – Jo rit rarement, il sort peu, il danse mal, mais Jim est un bon vivant : il aime rire, sortir, danser…

3 Réponses possibles : **2.** … Pourtant, il avait travaillé. **3.** … Pourtant, je l'avais garée ici. **4.** … Pourtant, je l'ai envoyée il y a quinze jours. **5.** … Pourtant, la météo avait annoncé des températures assez élevées. **6.** … Pourtant, ils n'ont pas le même caractère.

4 **2.** … malgré le bruit … dort même s'il y a du bruit … il dort quand même. **3.** … malgré la migraine … travaille même s'il a la migraine … il travaille quand même. **4.** … malgré ses défauts … l'aiment même si elle a des défauts… ses amis l'aiment quand même.

5 **Réponses possibles : 2.** … pourtant je dors beaucoup. J'ai beau dormir, je suis toujours fatiguée. **3.** … pourtant je fais encore pas mal d'erreurs de syntaxe. J'ai beau étudier la grammaire, je fais toujours des erreurs. **4.** … pourtant mon appartement n'est pas impeccable. J'ai beau faire du ménage, la poussière s'accumule très vite. **5.** … pourtant je suis toujours à court d'argent. J'ai beau faire attention à mes dépenses, je suis toujours à court d'argent.

BILAN n° 7 p. 256.

1 … suis (allé) … j'ai (sorti) … suis (rendu) … n'avais (pas) … j'ai (dit) … j'allais (à la maison) … suis (sorti) …

… avoir (tourné) … j'ai (couru) … suis (arrivé) … était (bloqué) … j'ai (monté) … suis (arrivé) … j'ai (essayé) … d'(ouvrir) … n'y suis (pas) … j'ai (tourné) … c'était (ouvert) … j'avais (oublié) … de (fermer) … suis (entré) … j'ai (vu) … fumait … lisant … j'étais (stupéfait) … regardait … est (sortie) … j'ai (compris) … m'étais (trompé) …

… m'être … suis (monté) … j'ai (retrouvé) … ce que … j'avais (oublié) … j'ai pris … suis (retrouvé) … avoir (attendu) … était … suis (parvenu) … suis (sorti) … pleuvait … n'avais (pas) … j'étais … serait …

2 … même si … Pourtant … si bien qu' … Comme … Pourtznt … puisqu'… grâce à … afin de …

BILAN n° 8 p. 257.

1 **1.** … regarderont … ferai … lirai **2.** … partirai … aurai fini **3.** … fait … irons … **4.** … de … grâce **5.** … était … avait … **6.** … a été … ont été … ai … **7.** … j'avais … ferais … **8.** … faisait … écoutant … **9.** … est … est … soit … **10.** … comme … était … à … **11.** … j'étais … soit … à la **12.** S'… j'allumerais … **13.** … a … en … **14.** … faisais … serais … aurais … **15.** … fera … fasse … **16.** … j'étais … demanderais … **17.** … est … soit … **18.** … soit … prenne … **19.** … est … est … **20.** … aille … soit … **21.** … soyons … serons … **22.** … j'avais su … aurais …

ACTIVITÉS COMMUNICATIVES. Page 264

1 Il était environ 20 heures lorsque l'incident a eu lieu. – Le train roulait à 300 km/h. – Il y avait un grand nombre de voyageurs. – Le conducteur a freiné brusquement parce qu'il y avait un éléphant sur la voie ferrée. – Ce n'était pas un arbre qui était sur la voie, c'était bel et bien un éléphant. – Cet éléphant portait une grande cape rouge et un bonnet jaune. Il était immobile sous la pluie. – Heureusement le dompteur est arrivé une heure plus tard sur les lieux, il a calmé l'éléphant qui est monté dans un camion.

2 **Exemple :** Un passager du train

J'étais en train de travailler sur mon ordinateur portable, je mangeais un sandwich et je buvais un Coca. Tout à coup j'ai été projeté vers l'avant. Mon ordinateur est tombé, mon verre de Coca s'est renversé. Pendant quelques minutes, tout le wagon a tremblé violemment. Des enfants criaient ou pleuraient. On ne comprenait rien. Puis le train s'est arrêté en pleine campagne. Les gens étaient debout et essayaient de voir à travers les vitres. Mais c'était la nuit et on ne voyait rien. Au bout d'un moment, on a pu sortir. Là, j'ai vu un énorme éléphant habillé de rouge. Il était au milieu de la voie. Il semblait terrorisé. J'ai pris des photos et j'ai téléphoné à ma femme pour lui raconter ce qui se passait. C'était incroyable.

3 **Exemple :** Un habitant du village

Nous étions en train de dîner, en famille. Tout à coup, nous avons entendu un grand bruit. Nous avons ouvert la fenêtre et là, nous avons vu une masse sombre qui se déplaçait au milieu de la rue. C'était un éléphant qui traversait le village au galop ! Dans la rue, les gens couraient se mettre à l'abri, le ciel était zébré d'éclairs et il tombait des trombes d'eau, les fenêtres s'ouvraient les unes après les autres. Nous avons appelé les pompiers.

Exemple supplémentaire : un reporter de la télévision

Je suis arrivé sur les lieux et j'ai vu un train arrêté en pleine campagne. Un éléphant, hypnotisé par les lumières, était immobile, sur la voie. Il y avait une foule de gens qui regardaient la scène et qui prenaient des photos. J'ai interviewé une dame et ses deux enfants, un jeune homme qui s'est foulé le poignet dans sa chute et le dompteur du cirque qui a réussi à calmer l'animal. J'ai pris des photos et j'ai envoyé mon article au journal.

ACTIVITÉS COMMUNICATIVES. Page 265

1

imparfait	passé composé	plus-que-parfait
je faisais	je suis arrivé	j'avais oublié
il faisait	je me suis aperçu	j'avais laissé
il était	j'ai dû	on avait fermé
il faisait	j'ai raté	mes amis étaient partis
j'étais	j'ai passé	
personne ne pouvait	je suis rentré	
il me connaissait	je me suis rendu compte	
je n'avais pas d'argent	je suis retourné	
	je suis allé	

2 ... est sortie ... pleuvait ... a appelé ... s'est garée ... a ouvert ... a mis ... est montée ... a embrassé ... s'est rendu compte ... avait embrassé ... s'est excusée ... est sortie ... attendait ... s'est trompée ... a confondu ...

3 ... me suis rendu compte que j'avais oublié d'acheter le produit pour lequel j'étais venu(e) faire les courses/que j'avais oublié mon portefeuille.

... me suis rendu compte que j'avais oublié de régler ma dernière facture/que j'avais laissé l'enveloppe avec le chèque dans la poche de mon imperméable.

... me suis rendu compte que le mail que je pensais t'avoir envoyé était resté dans les brouillons/que j'avais envoyé un mail au mauvais destinataire.

... me suis rendu compte que mon beau gâteau avait brûlé.

ACTIVITÉS COMMUNICATIVES. Page 266

1 **2.** ... qui se trouve dans le salon est un canapé convertible. **3.** ... que demande la propriétaire est de huit cents euros. **4.** ... dans laquelle passe le bus 47 est la rue Zola.

2 **2.** ... qu' ... **3.** ... dont ... **4.** ... dont ... qui ... dont ... **5.** ... dont ... dans lequel ... **6.** ... que ... **7.** ... qui ... qui ... que ...

3 ... dont l'architecte est Le Corbusier. – C'est un canapé dont le designer est Philippe Starck. – C'est une méthode de grec dont l'auteur est Brian Church.

4 **Exemple :** L'appartement dans lequel j'habite est un petit appartement dans le Vᵉ arrondissement de Paris. C'est un lieu dans lequel je me sens bien et dont je ne voudrais jamais me séparer. La propriétaire précédente qui me l'a vendu est maintenant une très bonne amie à moi et les jours où elle revient à Paris, elle ne manque jamais de me contacter.

Le quartier dans lequel je réside est le quartier de Paris que je préfère. C'est un lieu dans lequel viennent beaucoup de touristes, mais ma rue est une rue calme dans laquelle il n'y a pas d'attraction particulière, donc dans laquelle peu de gens passent.

ACTIVITÉS COMMUNICATIVES. Page 267

1 **1.** Si les deux amis dormaient sur la plage, ils seraient dévorés par les moustiques, selon Chris. **2.** Toujours selon Chris, s'ils prenaient un bain de minuit, ils se casseraient la tête sur les rochers parce qu'ils ne verraient rien. **3.** Si Alex avait de l'argent, il achèterait une maison abandonnée sur une île au bord d'une plage, il y ferait des travaux et il y vivrait sobrement, toute l'année. **4.** D'après Chris, ce n'est pas un bon plan, parce qu'il n'y a pas d'eau sur ce type d'île déserte, et si Alex tombait malade, il n'aurait personne sur place pour le soigner, et puis il s'ennuierait tout seul, surtout en hiver. Pour Chris, cette vie serait plus un esclavage qu'une liberté.

2 **Réponses possibles : 1.** Si je devais passer un an sur une île déserte, j'emporterais de quoi lire, de quoi écrire, de quoi cuisiner, de quoi m'habiller pour le chaud et pour le froid, mais tout en petite quantité, pour mener une vie sobre. Le plus important serait un tapis de yoga ! **2.** Si j'emmenais une personne avec moi, j'emmènerais un homme très attentionné ! **3.** Si je voulais un animal de compagnie, je choisirais un chat blanc. **4.** Si je n'emportais que trois livres, ce seraient *Les Confessions* de Jean-Jacques Rousseau, *L'Arrière-pays* d'Yves Bonnefoy et *Les Élégies de Duino* de Rilke.

3 … dix heures par jour, on ferait des réunions interminables, on mangerait à la cantine et ce ne serait pas très bon, on prendrait le métro tous les jours, on rentrerait chez nous épuisés, on regarderait des programmes idiots à la télé, on se lèverait tôt le matin, on boirait un café en vitesse, et ça recommencerait.

… on se promènerait le long de la Seine, on mangerait des croissants et on boirait des cafés crème en terrasse, on prendrait le bateau-mouche, on visiterait des musées, on se lèverait tard, on marcherait beaucoup et tous les soirs on danserait le tango sur le quai Saint-Bernard !

ACTIVITÉS COMMUNICATIVES. Page 268

1 … parte … soit … fasse … y ait … soit … vienne …

… fera … ira … aura … feront … a … passeront …

… a … prenne … dorment … soient … a … vienne …

2 … prenne l'avion de 7 heures pour aller de Nice à Paris. Il faut qu'il y soit à 9 heures pour une réunion sur le dossier Dumont. Ensuite, il faut qu'il prenne le train à 13 heures pour aller à Bruxelles. Là, il faut qu'il participe à une réunion sur le projet Vatel. Et il faut que la réunion puisse commencer à 15 heures pile.

Aujourd'hui, il faut qu'il finisse le dossier Vatel. Il faut qu'il choisisse la maquette définitive. Il faut qu'il lise le projet Dumont. Il faut qu'il réserve un taxi. Et il faut qu'il fasse sa valise.

3 **Exemples :** … il voudrait que son chef lui accorde une promotion et une augmentation de salaire, parce qu'il aimerait que son investissement personnel dans son travail soit mieux reconnu. Il voudrait que ses congés soient mieux répartis sur l'année, la moitié en été, la moitié en hiver. Il aimerait que son travail lui laisse plus de temps libre pour sa famille.

ACTIVITÉS COMMUNICATIVES. Page 269

1 **Exemples de commentaires :** Jules, 7 ans, évoque le thème du désarmement. Pourquoi toujours plus d'armes pour plus de violence ? Comme il est très jeune, il aime s'amuser, et l'idée de remplacer de remplacer les armes des soldats par des pistolets à eau lui plaît bien. Les armes, au lieu d'être des instruments de destruction, n'auraient qu'une fonction ludique.

Cholé, 9 ans, évoque la question des rythmes scolaires et de la qualité de la nourriture dans les cantines scolaires. L'école seulement le matin, au lieu d'une journée complète de cours dès le plus jeune âge, lui paraît bien. Comme elle est un peu âgée, elle pense déjà à la vie politique et invite les ministres à la table de la cantine pour qu'ils ne restent pas dans leur bureau doré, sans prise de conscience des réalités.

Marianne, 7 ans, si jeune, est déjà effrayée par les réalités du monde ; ce qui lui fait peur, c'est qu'on laisse faire des sports extrêmes dans lesquels les participants prennent trop de risques.

Émilie, 9 ans, plus âgée, évoque la protection de la planète et ne fait pas que rêver : elle est concrète et pragmatique, et propose des solutions : usines souterraines et voitures solaires.

André, 10 ans, rêve à une paix mondiale, une entente cordiale entre tous les pays qui supprimeraient la guerre. Le thème de l'absurdité de la guerre est commun aux plus jeunes (Jules) et aux plus âgés (André).

Alexis, 9 ans, évoque la clarté et la sincérité des discours des hommes politiques, sans manipulation ni langue de bois. Les mots ne doivent pas servir à embellir et cacher les réalités, tout le monde doit pouvoir comprendre simplement, y compris les enfants. Une démocratie permet à tous, y compris aux mineurs, de prendre conscience des réalités de la vie en société. C'est sérieux, Alexis est parmi les plus âgés du groupe.

Claire, 10 ans, propose de réduire les inégalités sociales. Là encore, un sujet avec des implications importantes dans la vie de tous les jours de chaque adulte (l'un ne doit pas gagner 40 fois plus que l'autre, rien ne justifie de tels écarts). Les élèves les plus âgés pensent déjà au monde des adultes.

2 **2.** Je voudrais que le président de la République réintroduise la justice sociale. **3.** Je voudrais qu'il réduise le chômage. **4.** Je voudrais qu'il sache bien s'entourer. **5.** Je voudrais qu'il fasse de bonnes réformes. **6.** Je voudrais qu'il défende la culture et l'éducation. **7.** Je voudrais qu'il réfléchisse avant d'agir. **8.** Je voudrais qu'il soit sérieux et honnête. **9.** Je voudrais qu'il sache prendre des décisions difficiles. **10.** Je voudrais qu'il interdise le cumul des mandats.

3 **Exemples :** Si j'avais le pouvoir, je limiterais considérablement l'usage des polluants quotidiens : les nitrates pour les cultures, les lessives et les produits ménagers par exemple, et je les remplacerais par des produits naturels. Si on utilisait moins de plastiques et de produits chimiques, nos enfants pourraient avoir un air et une eau propres pour le futur. Si chacun pouvait prendre conscience de cela, si chacun appliquait vraiment des principes d'économie et de protection, si cela changeait vraiment les comportements, si cela ne restait pas que des mots, la face du monde serait changée !

ACTIVITÉS COMMUNICATIVES. Page 270

1 ... parce que ... puisqu' ... comme

... puisque ...

... puisque ...

... parce que ... Comme ...

2 **Réponses possibles : 1.** … parce qu'elle a perdu son chat. **2.** … parce qu'il a eu peur des pompiers quand ils sont entrés dans l'appartement. **3.** Comme le grand-père avait mis le feu aux rideaux en tombant et en renversant la lampe halogène … **4.** grâce à la rapidité d'intervention des pompiers. **5.** … a eu un grand choc à cause de … **6.** Comme le grand-père est maintenant affaibli …

3 **Exemple de résumé :** Madame la Marquise est absente depuis quinze jours et elle téléphone à Luca, son cocher, pour demander des nouvelles. Le cocher répond que tout va très bien, qu'il y a juste eu un petit incident : la jument grise de Madame la Marquise est morte. Quand elle demande des explications, il lui dit que tout va très bien, mais il y a juste eu un petit incident : les écuries complètes ont brûlé ; puis il lui dit que c'est le château complet qui a brûlé. Quand Madame la Marquise insiste pour avoir des explications, elle apprend que le château a brûlé, parce que son mari a mis le feu en reversant les chandelles : il s'est suicidé parce qu'il a appris qu'il était ruiné.

[Écoutez la chanson « Tout va très bien, Madame la Marquise » sur le site YouTube.]

ACTIVITÉS COMMUNICATIVES. Page 271

1 … alors que sa sœur habite à Paris / tandis que sa sœur habite à Paris.

… alors qu'il y a un orage en Corse / tandis qu'il y a un orage en Corse.

… alors que Max a 12 ans / tandis que Max a 12 ans.

2 **2.** … même si elle est beaucoup plus jeune … pourtant elle s'entend bien avec Max. **3.** … même s'il s'est foulé le poignet … pourtant il joue au ping-pong. **4.** … même s'il était mort de peur … pourtant il a été sage.

ACTIVITÉS COMMUNICATIVES. Page 272

1 Elle cuisine depuis huit heures du matin, depuis au moins cinq heures.

Elle part à Venise pour huit jours.

Le taxi arrive dans deux heures.

Elle cuisine pour huit jours.

Une pizza surgelée cuit en dix minutes.

2 **Réponses possibles :** Ils font leur lit en cinq minutes.

Ils dorment dix heures en moyenne.

Ils font leurs devoirs en quinze minutes.

Ils restent sous la douche pendant des heures.

Suggestions pour travailler le dialogue 14

1 ### Répondez aux questions.

– Jo a rencontré Léa il y a combien de temps ? – *Il l'a rencontrée il y a 3 jours.*

– Il se marie dans combien de temps ? – *Il se marie dans une semaine.*

– Jo et Léa se connaissent depuis combien de temps ? – *Ils se connaissent depuis 24 ans.*

– Ils sont restés séparés longtemps *? – Oui, ils sont restés séparés pendant des années.*

– Où vont-ils aller en voyage de noces ? – *Ils vont aller à Venise.*

2 ### Carlos raconte la nouvelle du mariage de Jo à sa femme.

– Je vais t'apprendre une nouvelle extraordinaire : Jo vient de rencontrer une fille et c'est le coup de foudre. Il se marie dans une semaine !

– Jo se marie ? C'est incroyable. Depuis que je le connais, je ne l'ai jamais vu amoureux…

– Écoute la suite : il connaissait cette fille depuis 24 ans ! C'était la fille de ses voisins. Il est tombé amoureux d'elle quand il avait dix ans !

– Quelle histoire !

– Et ils partent en voyage de noces à Venise !

– Comme nous…

3 ### Imaginez : *Si Jo n'avait pas pris le métro ce jour-là…*

Si Jo n'avait pas pris le métro ce jour-là, il n'aurait pas remarqué la jeune fille, il ne l'aurait pas suivie et il ne lui aurait pas parlé. Il ne l'aurait probablement jamais revue et il serait sans doute resté célibataire.

Achevé d'imprimer en Italie en janvier 2016 par ⬛ Grafica Veneta S.p.A.
N° de projet : 10221453 - Dépôt légal : juin 2015